사고력을 키우는

팩토
연산

A01
100까지의 수

매스티안

구성과 특징

1주 연산 원리 학습

P02

붙임 딱지 등의 활동으로
연산 원리를 재미있게 체득

2주 연산 응용 학습

P02

연산 원리를 응용한 문제를
풀어 보며 문제해결력 신장

정답

아이와 자연스럽게 학습을 시작할 수
있도록 스토리텔링 방식 도입

아이들이 배우는 연산 원리에 대한
학습가이드 제시

연산 실력 체크 진단 ＋ 보충 온라인 보충 학습   🖨 온라인 활동지

2~4주차 사고력 연산을
학습하기 전에 연산 실력 체크

매스티안 홈페이지에서 제공하는
보충 학습으로 연산 원리 다지기

매스티안 홈페이지에서 제공하는
활동지로 사고력 연산 이해도 향상

3주 사고력 학습 1

연산 원리를 바탕으로 한 사고력 연산
문제를 풀어 보며 수학적 사고력과 창의력 향상

4주 사고력 학습 2

연산 원리를 바탕으로 한 사고력 연산
문제를 풀어 보며 수학적 사고력과 창의력 향상

· 3, 4주차 1일 학습 흐름 ·

 →  → 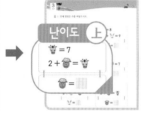 →

특정 주제를 쉬운 문제부터 목표 문제까지 차근차근
학습할 수 있도록 설계 되어 있어 자기주도학습 가능

App Game 팩토 연산 SPEED UP

앱스토어에서 무료로 다운받은
팩토 연산 SPEED UP으로 덧셈, 뺄셈,
곱셈, 나눗셈의 연산 속도와 정확성 향상

부록 칭찬 붙임 딱지, 상장

학습 동기 부여를 위한
칭찬 붙임 딱지와 연산왕 상장

사고력을 키우는 **팩토 연산 시리즈**

P | 권장 학년 : 7세, 초1 |

권별	학습 주제	교과 연계
P01	10까지의 수	❶학년 1학기
P02	작은 수의 덧셈	❶학년 1학기
P03	작은 수의 뺄셈	❶학년 1학기
P04	작은 수의 덧셈과 뺄셈	❶학년 1학기
P05	50까지의 수	❶학년 1학기

A | 권장 학년 : 초1, 초2 |

권별	학습 주제	교과 연계
A01	100까지의 수	❶학년 2학기
A02	덧셈구구	❶학년 2학기
A03	뺄셈구구	❶학년 2학기
A04	(두 자리 수)+(한 자리 수)	❷학년 1학기
A05	(두 자리 수)−(한 자리 수)	❷학년 1학기

B | 권장 학년 : 초2, 초3 |

권별	학습 주제	교과 연계
B01	세 자리 수	❷학년 1학기
B02	(두 자리 수)+(두 자리 수)	❷학년 1학기
B03	(두 자리 수)−(두 자리 수)	❷학년 1학기
B04	곱셈구구	❷학년 2학기
B05	큰 수의 덧셈과 뺄셈	❸학년 1학기

C | 권장 학년 : 초3, 초4 |

권별	학습 주제	교과 연계
C01	나눗셈구구	❸학년 1학기
C02	두 자리 수의 곱셈	❸학년 2학기
C03	혼합 계산	❹학년 1학기
C04	큰 수의 곱셈과 나눗셈	❹학년 1학기
C05	분수·소수의 덧셈과 뺄셈	❹학년 1학기

A01 100까지의 수 목차

A01권에서는 P05권에서 배운 50까지의 수를 확장하여 100까지의 수를 학습합니다.
동전 모형과 수 모형은 십진법의 원리가 포함되어 있는 10개씩 묶음과 낱개의 개수를 파악하는데 효과적인 도구입니다. 또한 두 자리 수의 구성 원리는 이후 학습하게 되는 모든 수의 구성 원리와 동일하게 적용되므로 자연수의 구성 원리를 이해하는데 기초가 됩니다.

1 일차	몇십

10씩 묶어 세기를 통해 60, 70, 80, 90, 100을 학습합니다.

2 일차	몇십 몇

10씩 묶어 세기를 통해 몇 십 몇을 학습합니다.

학습관리표

일 자			소요 시간	틀린 문항 수	확인
1 일차	월	일	:		
2 일차	월	일	:		
3 일차	월	일	:		
4 일차	월	일	:		
5 일차	월	일	:		

3일차　수의 순서

10 작은 수
55
64 · 65 · 66
1 작은 수 | 75 | 1 큰 수
10 큰 수

수 배열표를 이용하여 100까지의 수의 순서를 학습합니다.

4일차　두 수의 크기 비교

67 ＞ 66

100까지의 수에서 두 수의 크기를 비교하여 ＞, ＜로 나타냅니다.

5일차　뛰어 세기와 규칙 찾기

5씩 뛰어 세기

55	56	57	58	59	60
65	66	67	68	69	70
75	76	77	78	79	80

수 배열표에서 일정하게 뛰어 세는 수의 규칙을 찾아봅니다.

연산 실력 체크

1주차 학습에 이어 2, 3, 4주차 학습을 원활히 하기 위하여 연산 실력 체크를 합니다.
연습이 더 필요할 경우에는 매스티안 홈페이지의 보충 학습을 풀어 봅니다.

1 주

몇십

🌷 주어진 금액만큼 돼지 저금통에 동전을 붙여 보시오.

준비물 ▶ 붙임 딱지

80원

60원

70원

⚥ 🔲 안에 알맞은 수를 써넣으시오.

┌─○ 보기 ○─────────────┐
│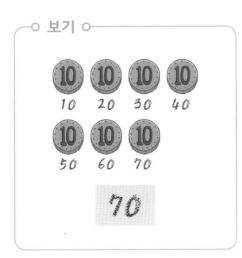
│   70
└──────────────────────┘

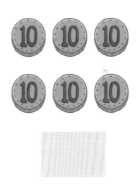

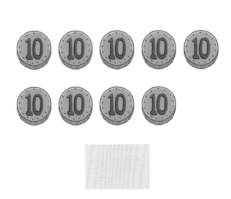

오 ▨ 모양의 개수를 세어 보시오.

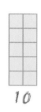

10

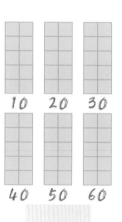

10   20   30

40   50   60

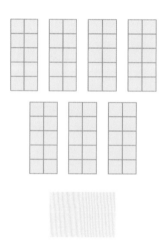

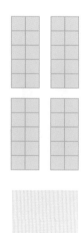

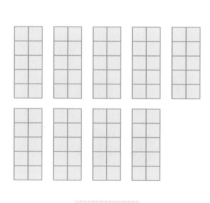

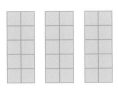

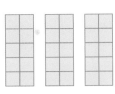

🌼 ● 모양의 개수를 세어 보시오.

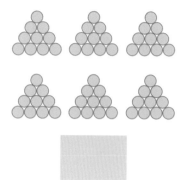

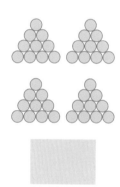

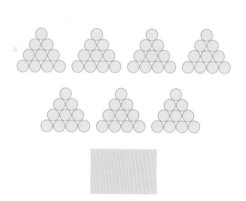

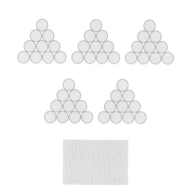

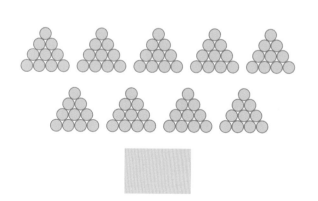

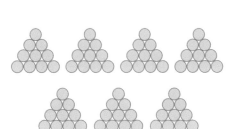

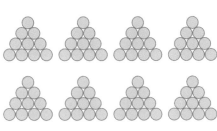

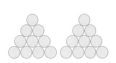

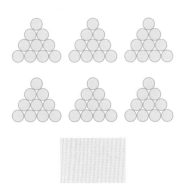

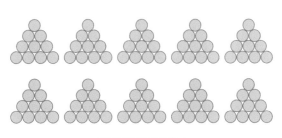

몇십 몇

🌷 주어진 금액만큼 돼지 저금통에 동전을 붙여 보시오.

준비물 ▶ 붙임 딱지

54원

72원

63원

👤 ▨▨ 안에 알맞은 수를 써넣으시오.

┌─○ 보기 ○─────────────────────┐
│   │
│ 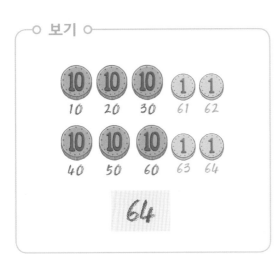   │
│   │
│   64   │
│   │
└────────────────────────────────┘

오 □ 모양의 개수를 세어 보시오.

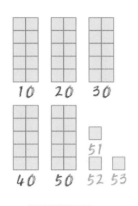

53

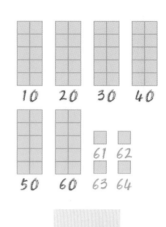

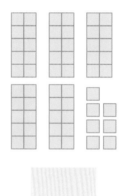

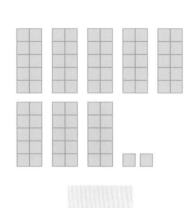

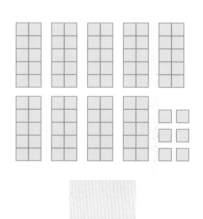

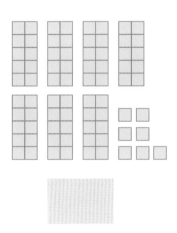

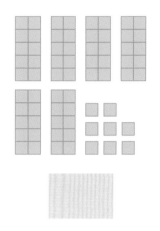

1
A01

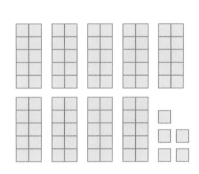

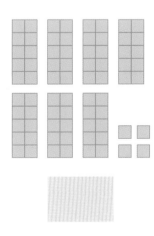

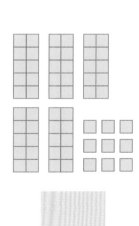

🌱 ◯모양의 개수를 세어 보시오.

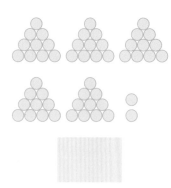

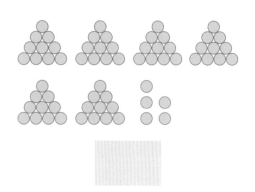

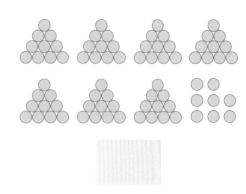

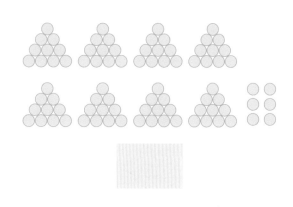

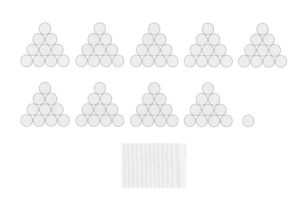

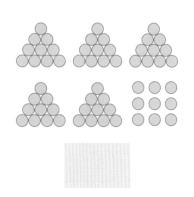

1
A01

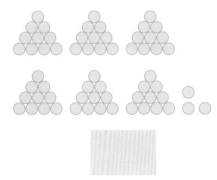

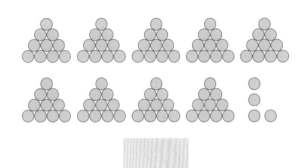

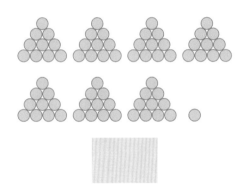

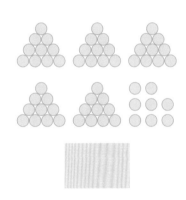

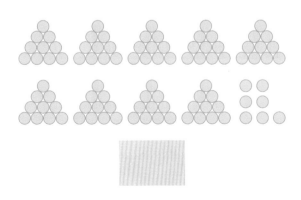

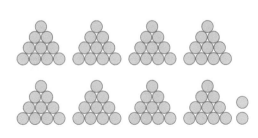

3 일차

수의 순서

번호가 없는 자리에 알맞은 수를 붙이시오.

준비물 ▶ 붙임 딱지

🌸 수 배열표의 규칙에 맞게 ▨ 안에 알맞은 수를 써넣으시오.

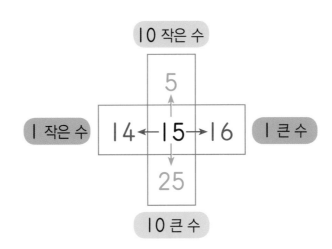

1	2	3	4	5	6	7	8	9	10
11		13	14	15	16	17		19	
	22	23	24	25	26	27	28		30
31		33	34	35	36	37	38	39	40
41	42	43	44	45	46	47	48	49	50
51	52	53	54		56	57	58	59	60
61	62	63		65		67	68	69	70
71	72	73	74		76	77		79	80
81	82	83	84	85	86		88		90
91	92	93	94	95	96	97		99	100

3 일차

수 배열표의 일부분입니다. 안에 알맞은 수를 써넣으시오.

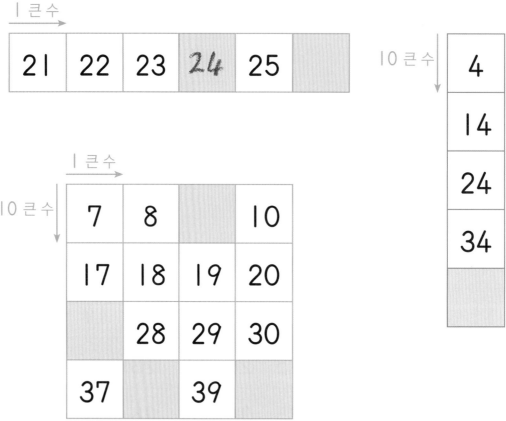

1 큰수 →						
21	22	23	24	25	

10 큰수 ↓

4
14
24
34

7	8		10
17	18	19	20
	28	29	30
37		39	

31	32	33	34	
41		43	44	45

16	
	27
36	37
46	47

1 큰수 →

51	52	53		55	

10 큰수 ↓

51
61
71
91

1 큰수 →
10 큰수 ↓

62	63	64	
72	73	74	75
82	83		85
	93	94	95

1 큰수 →
10 큰수 ↓

73	74		76	77
	84	85	86	87

1 큰수 →
10 큰수 ↓

68	69
78	
	89
98	99

✿ 수 배열표의 일부분입니다. ▨ 안에 알맞은 수를 써넣으시오.

11	12	13	14		16
21	22		24	25	

1
11
21
31

22	23	24
32		34
42	43	

5	6
15	16
25	26
	36
45	

6	7	8	9	
16	17	18		20
26	27		29	30

1
A01

62	63	64	65	66	67
	73	74	75	76	

54
64
84
94

51	52	
61	62	63
71		73

55	
65	66
75	76
85	86
	96

76	77	78	79	
86	87		89	90
96		98	99	100

두 수의 크기 비교

🌷 저금통에 주어진 수만큼 동전을 붙이고 ⬤ 안에 >, <를 알맞게 써넣으시오.

준비물 ▶ 붙임 딱지

누가 저금을 더 많이 했을까?

61 ⬤ 52

이번에는 누가 더 많이 했을까?

62 ⬤ 63

같은 종류의 동전끼리 수를 비교하여 ◯ 안에 >, <를 알맞게 써넣으시오.

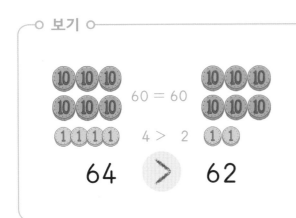

60 = 60

4 > 2

64 > 62

90 > 80

90   80

90 < 100

90   100

50 < 60

51   61

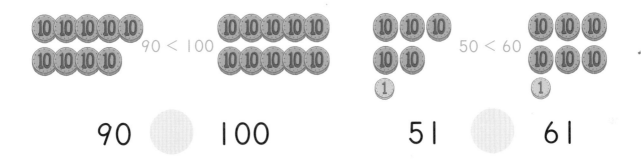

70 = 70

2 < 5

72   75

80 = 80

4 > 3

84   83

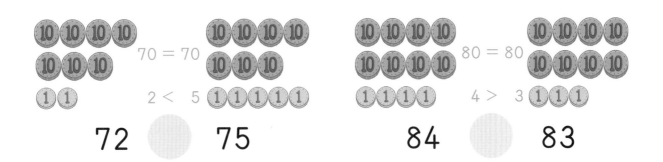

○ 두 수의 크기를 비교하여 ◯ 안에 >, <를 알맞게 써넣으시오.

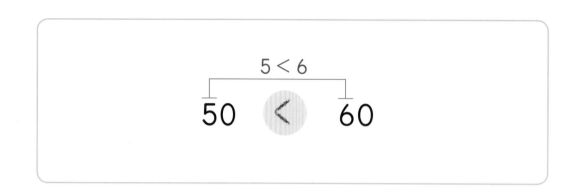

$5 < 6$

50 ◯< 60

$8 > 6$

80 ◯ 60

$5 < 6$

57 ◯ 67

50 ◯ 90

80 ◯ 79

60 ◯ 70

59 ◯ 60

90 ◯ 40

64 ◯ 79

$7 = 7$

75 ● 74 ➡ $5 > 4$ 75 > 74

1
A01

$5 = 5$

58 ● 57

$8 > 7$

$6 = 6$

63 ● 65

$3 < 5$

74 ● 78

92 ● 91

67 ● 69

84 ● 83

96 ● 92

71 ● 76

4
일차

🌼 두 수의 크기를 비교하여 ⬭ 안에 >, <를 알맞게 써넣으시오.

60 ⬭ 70   60 ⬭ 58

90 ⬭ 80   79 ⬭ 80

50 70   71 60

60 ⬭ 90   70 ⬭ 69

80 40   89 90

70 90   86 95

77 ⬤ 71   52 ⬤ 53

94 ⬤ 98   68 ⬤ 66

84 ⬤ 83   90 ⬤ 95

71 ⬤ 76   74 ⬤ 73

87 ⬤ 84   97 ⬤ 95

99 ⬤ 98   60 ⬤ 62

1
A01

오늘은 얼마나 잘했을까요?
칭찬 붙임 딱지를
붙여 주세요!

뛰어 세기와 규칙 찾기

🌷 도장이 찍힌 규칙을 찾아 81부터 90까지의 수에 도장을 알맞게 붙이시오.

준비물 ▶ 붙임 딱지

주어진 수만큼씩 뛰어 센 수에 색칠하시오.

3씩

51 시작	52	53	54	55	56	57	58	59	60
61	62	63	64	65	66	67	68	69	70
71	72	73	74	75	76	77	78	79	80

5씩

51	52	53	54	55 시작	56	57	58	59	60
61	62	63	64	65	66	67	68	69	70
71	72	73	74	75	76	77	78	79	80

4씩

51	52 시작	53	54	55	56	57	58	59	60
61	62	63	64	65	66	67	68	69	70
71	72	73	74	75	76	77	78	79	80

5
일차

🔾 규칙을 찾아 알맞게 색칠하시오.

5씩 뛰어 세기

51	52	53	54	55 시작	56	57	58	59	60
61	62	63	64	65	66	67	68	69	70
71	72	73	74	75	76	77	78	79	80
81	82	83	84	85	86	87	88	89	90
91	92	93	94	95	96	97	98	99	100

9씩 뛰어 세기

51	52	53	54	55	56	57	58	59	60 시작
61	62	63	64	65	66	67	68	69	70
71	72	73	74	75	76	77	78	79	80
81	82	83	84	85	86	87	88	89	90
91	92	93	94	95	96	97	98	99	100

3씩 뛰어 세기

51 시작	52	53	54	55	56	57	58	59	60
61	62	63	64	65	66	67	68	69	70
71	72	73	74	75	76	77	78	79	80
81	82	83	84	85	86	87	88	89	90
91	92	93	94	95	96	97	98	99	100

4씩 뛰어 세기

51	52 시작	53	54	55	56	57	58	59	60
61	62	63	64	65	66	67	68	69	70
71	72	73	74	75	76	77	78	79	80
81	82	83	84	85	86	87	88	89	90
91	92	93	94	95	96	97	98	99	100

✿ 규칙을 찾아 알맞은 수에 ○표 또는 △표 하시오.

3에서 3씩 뛰어 세기 : ○   5에서 5씩 뛰어 세기 : △

1	2	③ 시작	4	5 △ 시작	⑥	7	8	⑨	10 △
11	⑫	13	14	⑮ △	16	17	⑱	19	20 △
㉑	22	23	㉔	25 △	26	㉗	28	29	㉚ △
31	32	㉝	34	35 △	㊱	37	38	㊴	40 △
41	42	43	44	45	46	47	48	49	50
51	52	53	54	55	56	57	58	59	60
61	62	63	64	65	66	67	68	69	70
71	72	73	74	75	76	77	78	79	80
81	82	83	84	85	86	87	88	89	90
91	92	93	94	95	96	97	98	99	100

1에서 11씩 뛰어 세기 : ○		10에서 9씩 뛰어 세기 : △

1

A01

① 시작	2	3	4	5	6	7	8	9	△10 시작
11	⑫	13	14	15	16	17	18	△19	20
21	22	㉓	24	25	26	27	△28	29	30
31	32	33	㉞	35	36	△37	38	39	40
41	42	43	44	45	46	47	48	49	50
51	52	53	54	55	56	57	58	59	60
61	62	63	64	65	66	67	68	69	70
71	72	73	74	75	76	77	78	79	80
81	82	83	84	85	86	87	88	89	90
91	92	93	94	95	96	97	98	99	100

오늘은 얼마나 잘했을까요?
칭찬 붙임 딱지를
붙여 주세요!

연산 실력 체크

정답 수	/ 40개
날 짜	월 일

🐤 2~4주 사고력 연산을 학습하기 전에 기본 연산 실력을 점검해 보세요.

🌷 ▨ 안에 알맞은 수를 써넣으시오.

1.
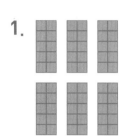

2.
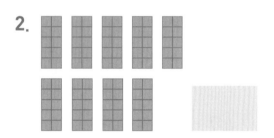

3.
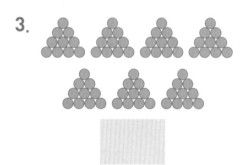

4.
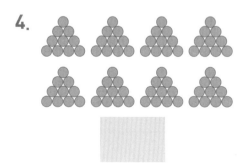

5.
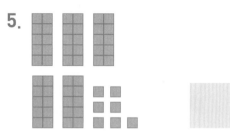

6.
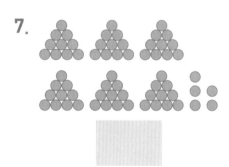

7.
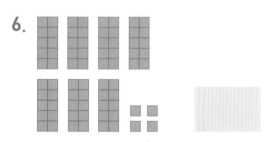

8.
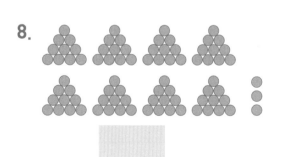

⚘ 수 배열표의 일부분입니다. ▨ 안에
알맞은 수를 써넣으시오.

9~10.

41	42		44	45
51	52	53		55

18~19.

19
29
39

20~21.

34	35
	45
54	55
64	65
	75

11~12.

66	67	68		70
76	77	78	79	

13~14.

81	82	83		85
	92	93	94	95

22~23.

40
60
80

24~26.

57	58
67	
77	78
87	88

15~17.

74		76	77	78
84	85		87	

오 ● 안에 >, <를 알맞게 써넣으시오.

27. 59 56

28. 90 91

29. 81 84

30. 70 60

31. 99 89

32. 74 78

33. 60 67

34. 80 70

35. 63 65

36. 93 89

37. 77 73

38. 89 90

💠 수 배열표를 보고 ▨ 안에 알맞은 수를 써넣으시오.

61	62	63	64	65	66	67	68	69	70
71	72	73	74	75	76	77	78	79	80
81	82	83	84	85	86	87	88	89	90
91	92	93	94	95	96	97	98	99	100

39. 61에서 11씩 뛰어 센 수 : 61, ▨ , ▨ , ▨

40. 70에서 9씩 뛰어 센 수 : 70, ▨ , ▨ , ▨

연산 실력 분석

오답 수에 맞게 학습을 진행하시기 바랍니다.

평가	오답 수	학습 방법
최고예요	0 ～ 2개	전반적으로 학습 내용에 대해 정확히 이해하고 있으며 매우 우수합니다. 기본 연산 문제를 자신 있게 풀 수 있는 실력을 갖추었으므로 이제는 사고력을 향상시킬 차례입니다. 2주차부터 차근차근 학습을 진행해 보세요. 학습 [2주차] → [3주차] → [4주차]
잘했어요	3 ～ 4개	기본 연산 문제를 전반적으로 잘 이해하고 풀었지만 약간의 실수가 있는 것 같습니다. 틀린 문제를 다시 한 번 풀어 보고, 문제를 차근차근 푸는 습관을 갖도록 노력해 보세요. 매스티안 홈페이지에서 제공하는 보충 학습으로 연산 실력을 향상시킨 후 2, 3, 4주차 학습을 진행해 주세요. 학습 [틀린 문제 복습] → [보충 학습] → [2주차] → …
노력해요	5개 이상	개념을 정확하게 이해하고 있지 않아 연산을 하는데 어려움이 있습니다. 개념을 이해하고 연산 문제를 반복해서 연습해 보세요. 매스티안 홈페이지에서 제공하는 보충 학습이 연산 실력을 향상시키는데 도움이 될 것입니다. 여러분도 곧 연산왕이 될 수 있습니다. 조금만 힘을 내 주세요. 학습 [1주차 원리 중심 복습] → [보충 학습] → [2주차] → …

매스티안 홈페이지 : www.mathtian.com

학습관리표

일 자			소요 시간	틀린 문항 수	확인
❶ 일차	월	일	:		
❷ 일차	월	일	:		
❸ 일차	월	일	:		
❹ 일차	월	일	:		
❺ 일차	월	일	:		

2주

1
일차

동전 세기

🌷 돼지 저금통에 들어 있는 돈이 얼마인지 써 보시오.

○ 보기 ○

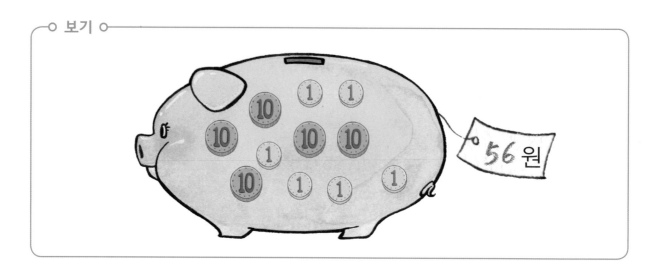

56 원

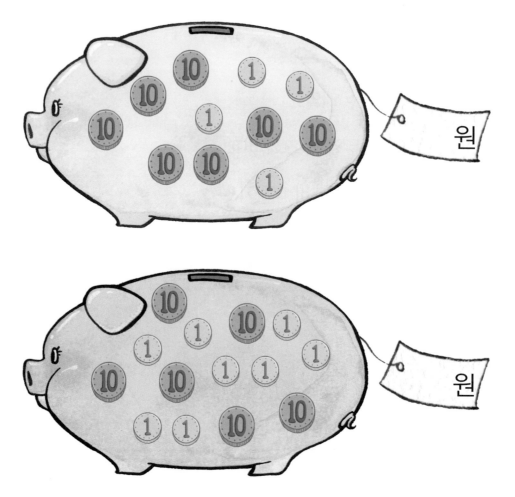

원

원

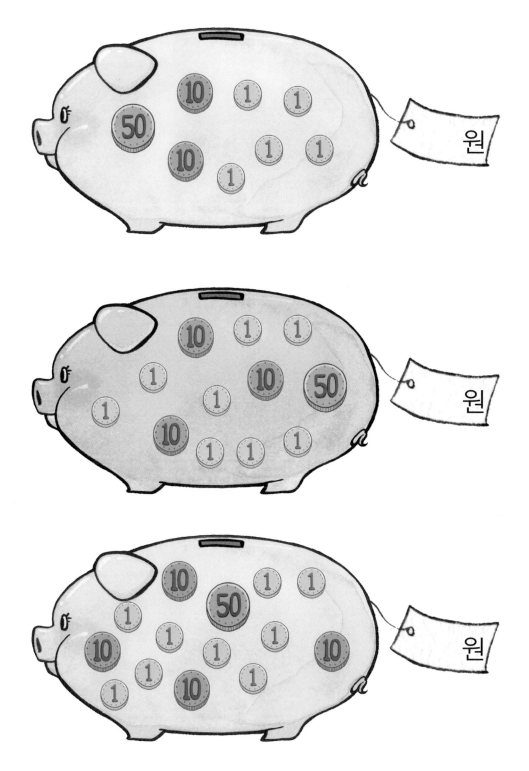

의 개수만큼 50원, 10원, 1원 짜리 동전을 붙여 주어진 금액을 만드시오.

🖨 온라인 활동지 준비물 ▶ 붙임 딱지

○ 보기 ○

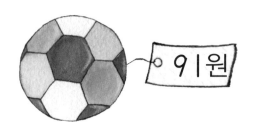

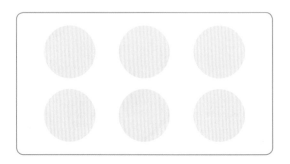

♦ 길을 따라가며 다람쥐가 모은 도토리의 개수를 ▨ 안에 써넣으시오.

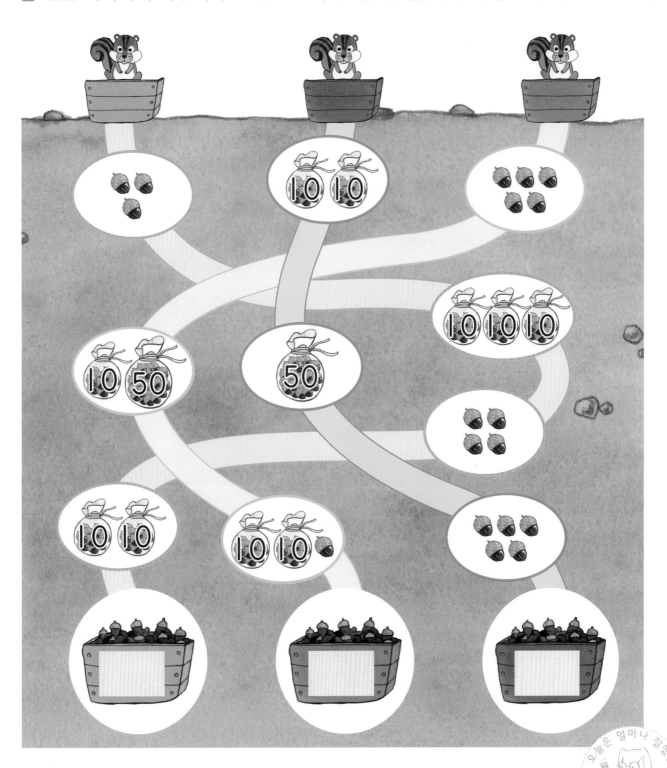

2

일차

수의 순서

🌷 주어진 수 중에서 **없는 수**를 찾아 ░ 안에 쓰시오.

○ 보기 ○

54에서 70까지의 수

54	68	67	65
69	55	56	57
60	61	62	58
70	59	63	66

없는 수 : 64

74에서 90까지의 수

74	83	84	85
75	82	76	77
90	81	87	78
89	88	80	79

없는 수 :

60에서 76까지의 수

66	75	76	65
67	60	61	64
69	74	62	63
70	71	72	73

없는 수 :

80에서 96까지의 수

88	89	91	94
95	80	92	93
96	81	82	83
87	86	85	84

없는 수 :

76에서 92까지의 수

91	92	79	78
82	81	80	77
90	84	76	85
89	87	83	86

없는 수 :

66에서 82까지의 수

81	79	76	80
82	66	67	71
73	74	75	70
72	77	68	69

없는 수 :

2
A01

55에서 71까지의 수

66	70	68	61
56	60	55	67
63	59	69	62
57	71	58	64

없는 수 :

83에서 99까지의 수

90	91	93	86
94	84	98	92
97	88	96	89
85	99	87	83

없는 수 :

규칙을 찾아 빈칸에 알맞은 수를 써넣으시오.

보기

51	52	53	54
58	57	56	55
59	60	61	62
66	65	64	63

61			76
62		70	
63	66		74
64	65		

90			87
	84		86
82			79
75	76	77	78

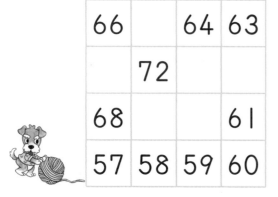

66		64	63
	72		
68			61
57	58	59	60

82	93		
83	94		90
		96	
	86		88

규칙을 찾아 ◯ 안에 알맞은 수를 써넣으시오.

3 일차

수 배열표

🌷 수 배열표를 보고 ▨ 안에 알맞은 수를 써넣으시오.

1	2	3	4	5	6	7	8	9	10
11	12	13	14	15	16	17	18	19	20
21	22					27			30
		33							40
						47			50
									60
	62	63							70
					76				80
	82				86				90
							98		100

왼쪽 수 배열표의 일부분입니다. ☐ 안에 알맞은 수를 써넣으시오.

1			

14

21

2

12

21

33

41

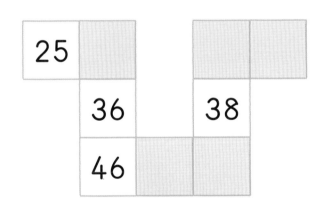

25

36   38

46

54

63   66

73

수 배열표의 일부분입니다. ▨ 안에 알맞은 수를 써넣으시오.

1	2	3	4	5	6	7	8	9	10
11	12	13	14	15	16	17			20
21			24	25	26				

	52
61	

	33	
	42	

(left lower)
| |
| 56 |
| 64 |

(right lower)
77	
	88

수 배열표의 ▨ 안에 알맞은 수를 써넣으시오.

1	2	3		5	6	7		9	
11									
21									30
							38		
61								69	
									80
	82								
91									

2
A01

두 수의 크기 비교

❀ □ 안에 들어갈 수 있는 숫자를 모두 찾아 ◯표 하시오.

┌─○ 보기 ○────────────────────────────┐

$7\boxed{} > 77$ ➡

0	1	2	3	4
5	6	7	⑧	⑨

7 ⑧

7 ⑨

└─────────────────────────────────────┘

$5\boxed{} > 55$ ➡

0	1	2	3	4
5	6	7	8	9

$7\boxed{} < 76$ ➡

0	1	2	3	4
5	6	7	8	9

□8 > 68 →

| 0 | 1 | 2 | 3 | 4 |
| 5 | 6 | 7 | 8 | 9 |

□4 < 57 →

| 0 | 1 | 2 | 3 | 4 |
| 5 | 6 | 7 | 8 | 9 |

□9 > 77 →

| 0 | 1 | 2 | 3 | 4 |
| 5 | 6 | 7 | 8 | 9 |

♀ ☐ 안에 공통으로 들어갈 수 있는 숫자를 찾아 ▦ 안에 써넣으시오.

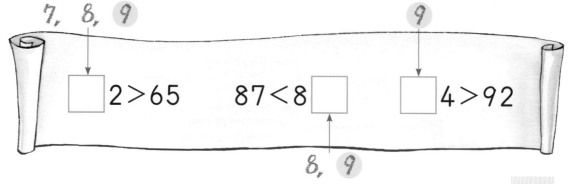

7, 8, 9

☐2 > 65   87 < 8☐   ☐4 > 92

9

8, 9

공통으로 들어갈 수 있는 숫자 :

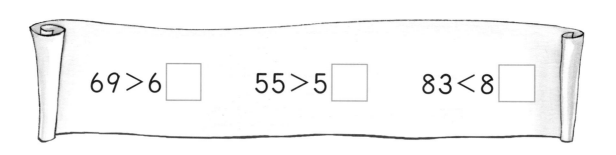

69 > 6☐   55 > 5☐   83 < 8☐

공통으로 들어갈 수 있는 숫자 :

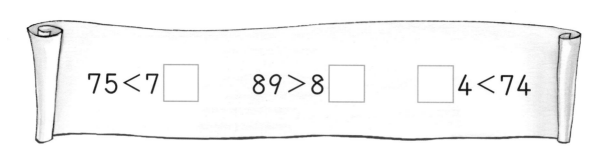

75 < 7☐   89 > 8☐   ☐4 < 74

공통으로 들어갈 수 있는 숫자 :

❀ □ 안에 들어갈 수 있는 알맞은 숫자를 따라 갈 때 지나는 길을 표시하시오.

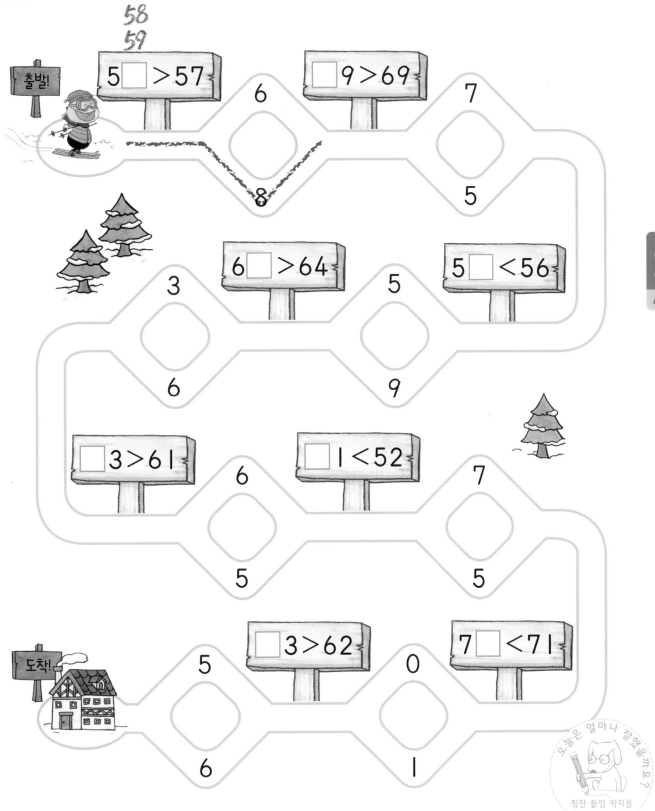

2

A01

5 일차

성냥개비 더하기

🌷 주어진 성냥개비를 **더하여** 서로 다른 수를 만들어 보시오.

온라인 활동지

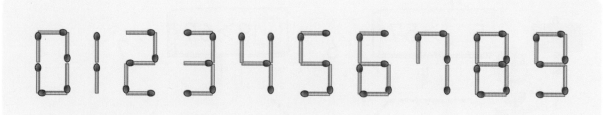

보기

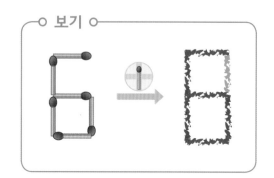

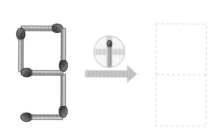

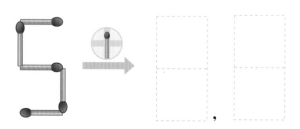

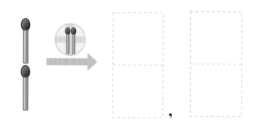

60 · A01 100까지의 수

주어진 성냥개비를 **더하여** 다른 두 자리 수를 만들어 보시오.

온라인 활동지

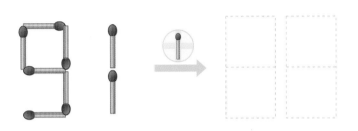

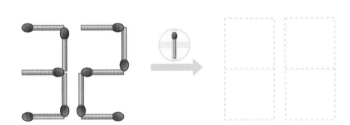

2

A01

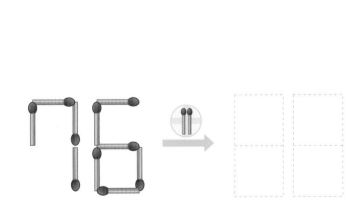

5 일차

주어진 성냥개비를 **더하여** 서로 다른 두 자리 수를 만들어 보시오.

온라인 활동지

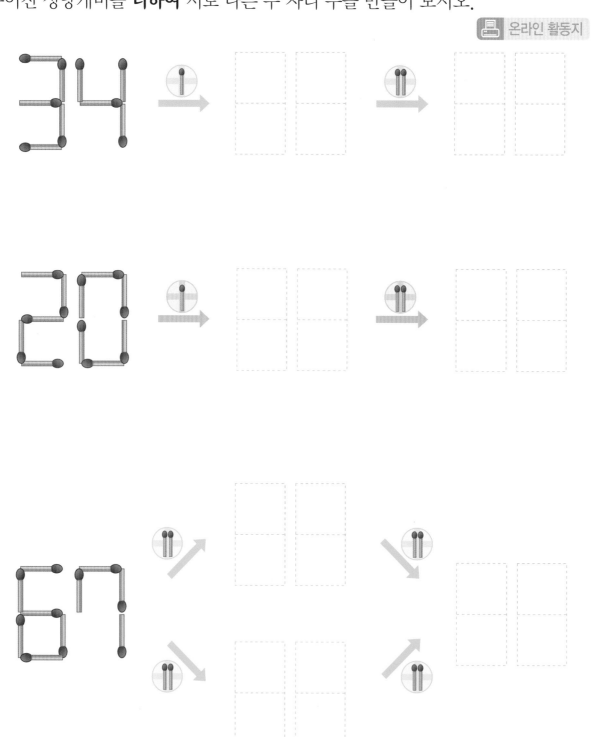

주어진 성냥개비를 **더하여** 서로 다른 두 자리 수를 만들어 보시오.

학습관리표

일 자			소요 시간	틀린 문항 수	확인
1 일차	월	일	:		
2 일차	월	일	:		
3 일차	월	일	:		
4 일차	월	일	:		
5 일차	월	일	:		

3 주

🌷 이집트 수의 규칙을 찾아 ▨ 안에 알맞게 써넣으시오.

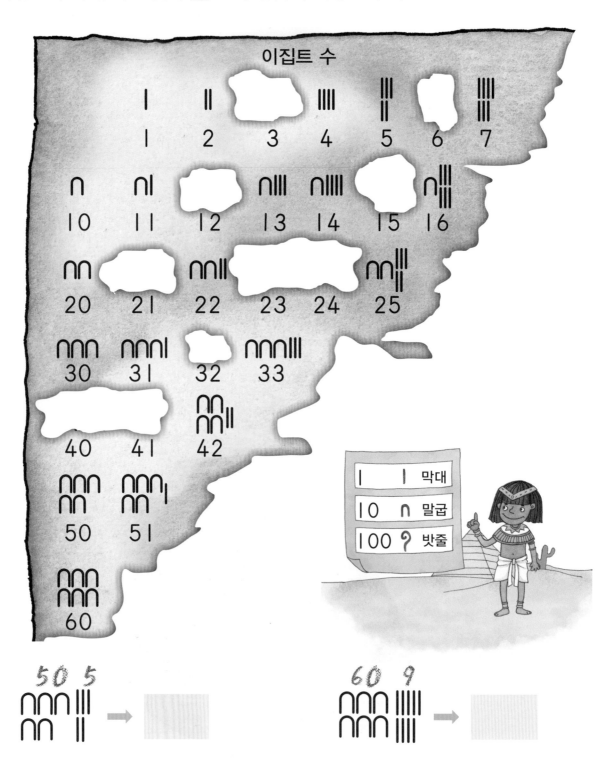

3
A01

51 →

62 →

73 →

91 →

😀 중국 수의 규칙을 찾아 ⬛ 안에 알맞게 써넣으시오.

皿‖ ➡

皿│ ➡

皿ㅠ ➡

皿ㅜ ➡

3
A01

54 ➡

66 ➡

78 ➡

99 ➡

두 자리 수 만들기

🌷 숫자 카드를 사용하여 두 자리 수를 만들어 보시오.

| 5 | 7 | 8 |

만들 수 있는 두 자리 수

| 5 | 7 | | 7 | 5 | | 8 | 5 |

| 5 | 8 | | 7 | 8 | | 8 | 7 |

가장 작은 수 : ☐☐   가장 큰 수 : ☐☐

| 6 | 8 | 9 |

만들 수 있는 두 자리 수

| 6 | ☐ | | 8 | ☐ | | ☐ | ☐ |

| 6 | ☐ | | 8 | ☐ | | ☐ | ☐ |

가장 작은 수 : ☐☐   가장 큰 수 : ☐☐

만들 수 있는 두 자리 수

가장 작은 수 :   가장 큰 수 :

만들 수 있는 두 자리 수

가장 작은 수 :   가장 큰 수 :

숫자 카드를 사용하여 조건 에 맞는 두 자리 수를 모두 만들어 보시오.

┌─○ 보기 ○───┐
│   │
│   5 7 8   조건 75보다 큰 수   │
│   │
│   7 8   8 5   8 7   │
│   │
└──┘

1 2 7   조건 70보다 큰 수

7 1   ☐ ☐

5 6 9   조건 67보다 작은 수

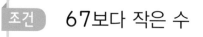
☐ ☐   ☐ ☐   ☐ ☐

9 4 5

6 8 6

조건   가장 작은 수

3

A01

7 1 9

조건   둘째로 큰 수

오늘은 얼마나 잘했을까요?
칭찬 붙임 딱지를
붙여 주세요!

조건에 맞는 수

🌷 51에서 100까지의 수 중에서 조건 에 맞는 수를 찾아 써 보시오.

51	52	53	54	55	56	57	58	59	60
61	62	63	64	65	66	67	68	69	70
71	72	73	74	75	76	77	78	79	80
81	82	83	84	85	86	87	88	89	90
91	92	93	94	95	96	97	98	99	100

조건   십의 자리 숫자와 일의 자리 숫자가 같은 수

55 ,   ,   ,   ,

조건   68보다 크고 76보다 작은 수

69 ,   ,   ,   ,   ,
,

조건 십의 자리 숫자와 일의 자리 숫자를 더하면 9인 수

[　　] , [　　] , [　　] , [　　] , [　　]

조건 십의 자리 숫자에서 일의 자리 숫자를 빼면 3인 수

[　　] , [　　] , [　　] , [　　] , [　　]

조건 일의 자리 숫자가 십의 자리 숫자보다 1 큰 수

[　　] , [　　] , [　　] , [　　]

조건 십의 자리 숫자가 일의 자리 숫자보다 2 큰 수

[　　] , [　　] , [　　] , [　　]

3
일차

👧 조건 에 맞는 두 자리 수를 구하여 ▮ 안에 써넣으시오.

조건
- 일의 자리 숫자가 5입니다. ──→ □5
- 십의 자리 숫자는 7보다 크고 9보다 작습니다.

조건
- 60보다 크고 70보다 작은 수입니다.
- 십의 자리 숫자와 일의 자리 숫자가 같습니다.

조건
- 70보다 크고 80보다 작습니다.
- 십의 자리 숫자는 일의 자리 숫자보다 2 큰 수입니다.

 조건
- 75보다 크고 85보다 작은 수입니다.
- 일의 자리 숫자는 6보다 크고 9보다 작습니다.
- 일의 자리 숫자와 십의 자리 숫자가 같습니다.

조건
- 70보다 크고 90보다 작은 수 입니다.
- 일의 자리 숫자는 2보다 작습니다.
- 십의 자리 숫자와 일의 자리 숫자를 더하면 9입니다.

3

A01

조건
- 십의 자리 숫자는 5보다 크고 7보다 작습니다.
- 십의 자리 숫자는 일의 자리 숫자보다 큽니다.
- 십의 자리 숫자와 일의 자리 숫자의 차는 3입니다.

수 퍼즐

🌷 주어진 수를 한 번씩만 사용하여 퍼즐을 완성하시오.

보기

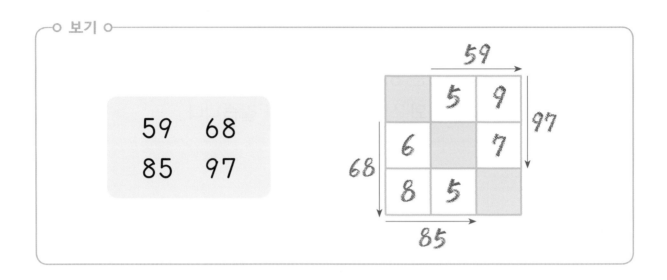

| 59 | 68 |
| 85 | 97 |

| 75 | 59 |
| 86 | 67 |

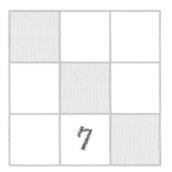

74	60
90	94
54	75

		7	

58   95
99   86
57   77

71   80
56   61
90   53
83   94

	0		
		6	

주어진 가로·세로 열쇠를 보고 퍼즐을 완성하시오.

① 9	㉠ 9			
	②	㉡		
㉢		③		
				㉣
			④	

가로 열쇠

① 100보다 1작은 수입니다. → 99

② 일의 자리 숫자가 십의 자리 숫자보다 2 작은 수입니다.

③ 67보다 10 작은 수입니다.

④ 십의 자리 숫자에서 일의 자리 숫자를 빼면 7입니다.

세로 열쇠

㉠ 십의 자리 숫자가 일의 자리 숫자보다 1 큰 수입니다.

㉡ 55보다 10 큰 수입니다.

㉢ 99보다 1 큰 수입니다.

㉣ 십의 자리 숫자가 7인 수 중에서 가장 작은 홀수입니다.

		㉠		
		①	㉡	
			②	㉢
③	㉣			
	④			

가로 열쇠

① 80보다 1작은 수입니다.

② 일의 자리 숫자가 십의 자리 숫자보다 1작은 수입니다.

③ 십의 자리 숫자가 7인 수 중에서 가장 큰 짝수입니다.

④ 일의 자리 숫자가 1인 두 자리 수 중에서 가장 큰 수입니다.

세로 열쇠

㉠ 67보다 10 작은 수입니다.

㉡ 95와 97사이의 수입니다.

㉢ 십의 자리 숫자와 일의 자리 숫자가 같습니다.

㉣ 일의 자리 숫자에서 십의 자리 숫자를 빼면 1입니다.

성냥개비 빼기

🌷 주어진 성냥개비를 **빼서** 서로 다른 수를 만들어 보시오.

온라인 활동지

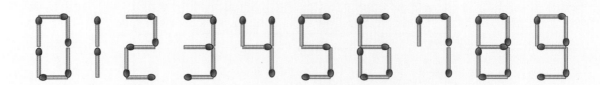

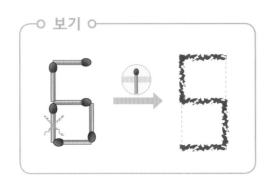

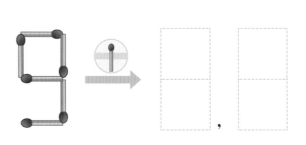

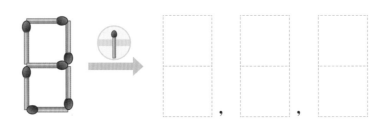

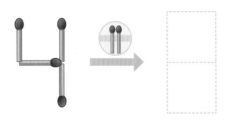

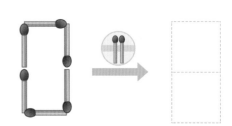

주어진 성냥개비를 **빼서** 서로 다른 두 자리 수를 만들어 보시오.

주어진 성냥개비를 **빼서** 올바른 식이 되도록 하시오.

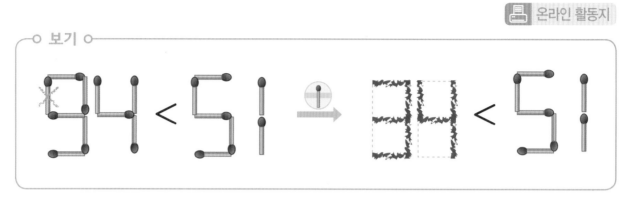

90 < 47 ➡ ☐☐ < 47

69 < 55 ➡ ☐☐ < 55

3
A01

68 < 54 ➡ ☐☐ < 54

A01
100까지의 수

학습관리표

일 자			소요 시간	틀린 문항 수	확인
❶ 일차	월	일	:		
❷ 일차	월	일	:		
❸ 일차	월	일	:		
❹ 일차	월	일	:		
❺ 일차	월	일	:		

4주

도형수

일차

🌷 규칙을 찾아 수를 표현해 보시오.

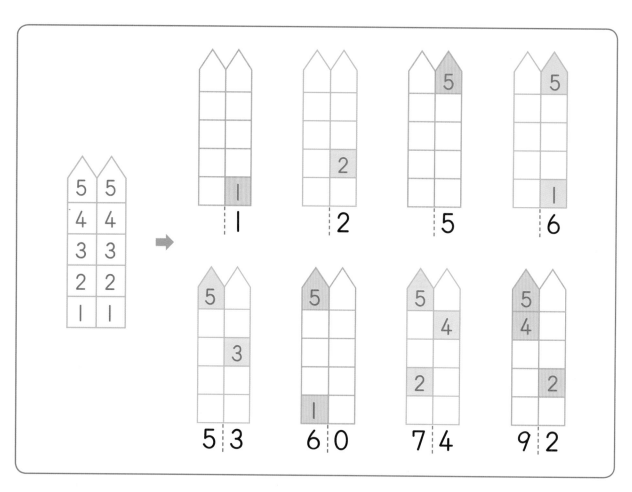

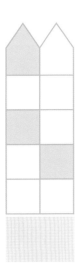

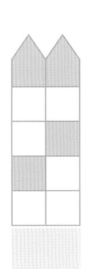

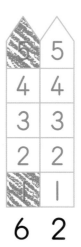

6 2

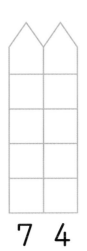

7 4

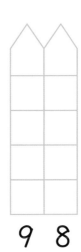

9 8

4

A01

8 3

9 5

8 7

규칙을 찾아 수를 표현해 보시오.

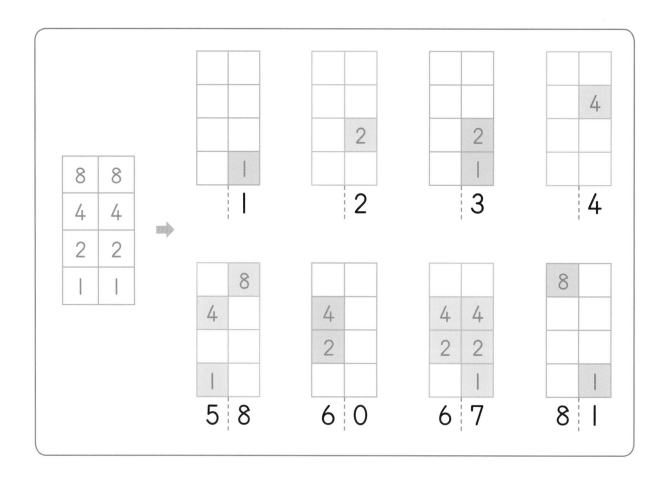

일차

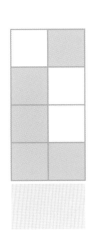

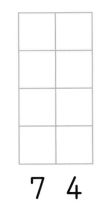

7 4

8 9

5 2

4

A01

9 5

7 6

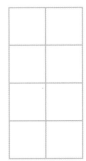

9 7

수 분류하기

🌷 주어진 수를 알맞게 분류하여 써넣으시오.

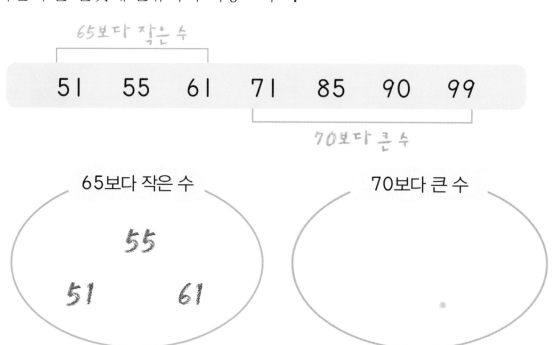

65보다 작은 수

| 51 | 55 | 61 | 71 | 85 | 90 | 99 |

70보다 큰 수

65보다 작은 수

55

51　　　　　61

70보다 큰 수

50　　54　　67　　69　　75　　83　　97

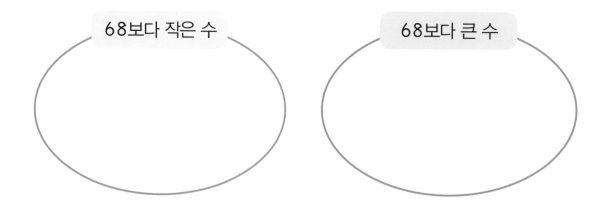

68보다 작은 수

68보다 큰 수

65보다 큰 수

66   69   71   72   82   89   90   94

80보다 큰 수

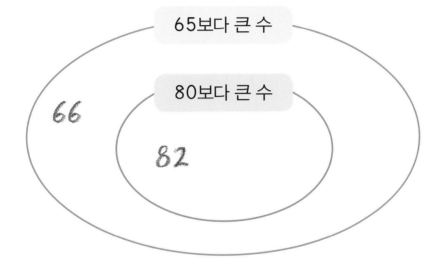

65보다 큰 수

80보다 큰 수

66

82

50   65   67   69   73   79   84   88

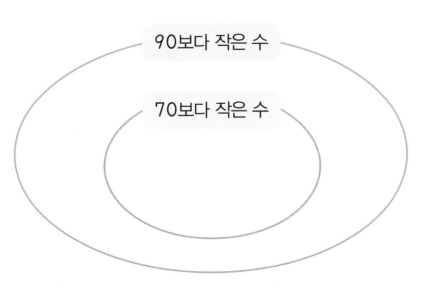

90보다 작은 수

70보다 작은 수

주어진 수를 알맞게 분류하여 써넣으시오.

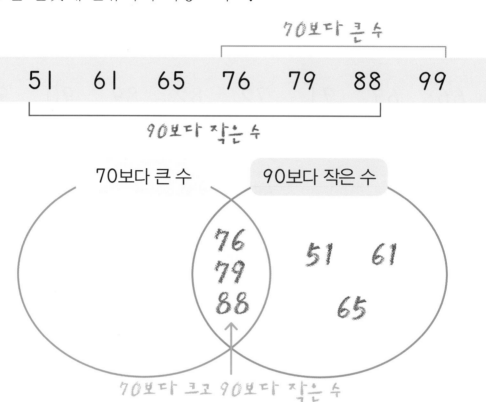

50   54   60   66   73   81   90

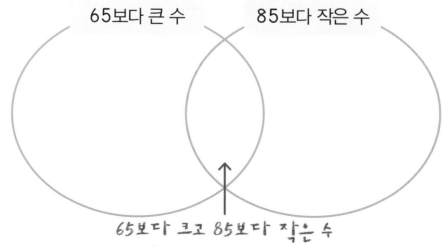

94 · A01 100까지의 수

52   54   59   63   73   77   82   90

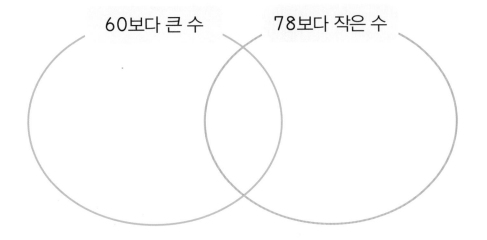

60보다 큰 수   78보다 작은 수

60   63   73   74   78   81   85   92

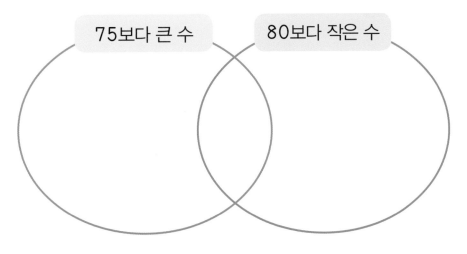

75보다 큰 수   80보다 작은 수

크기 비교

☘ ☐ 안에 알맞은 숫자 카드를 넣으시오.

온라인 활동지

86 < 9 ☐

☐ ☐ < 68

☐ 9 < ☐ 0

5 7 6

□ 4 < □ □ < 7 0

5 9 8

5 □ < □ □ < 6 0

5 3 4 6

6 □ < □ □ < 6 □

5 6 8 7

7 □ < □ □ < □ 0

♀ 조건 에 맞도록 □ 안에 알맞은 숫자 카드를 넣으시오.

🖨 온라인 활동지

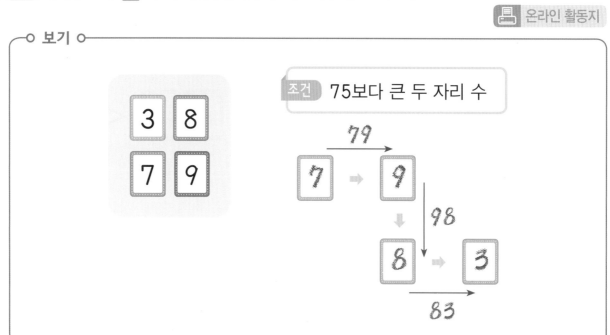

┌─ 보기 ○─

조건 75보다 큰 두 자리 수

조건 55보다 큰 두 자리 수

조건 56보다 큰 두 자리 수

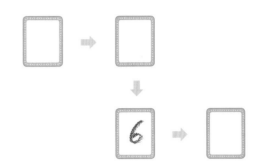

조건 74보다 작은 두 자리 수

조건 65보다 작은 두 자리 수

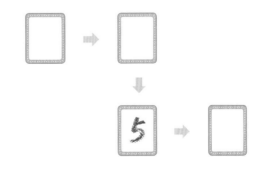

공통점 찾기

🌷 서로 관계있는 것끼리 선으로 이으시오.

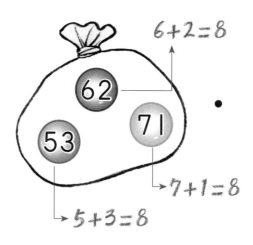

6+2=8

7+1=8

5+3=8

●

● 십의 자리 숫자와
일의 자리 숫자의
합은 8입니다.

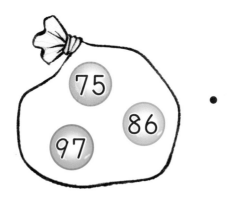

●

● 일의 자리 숫자가
홀수입니다.

●

● 십의 자리 숫자에
서 일의 자리 숫자
를 빼면 2입니다.

○ 수들의 공통점을 찾아 ▨ 안에 알맞게 써넣으시오.

큽니다	작습니다	같습니다	합	차
짝수	홀수	1	2	7	9	8

공통점

• 십의 자리 숫자와 일의 자리 숫자의
차 가(이) ▨ 입니다.

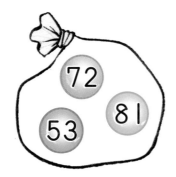

공통점

• 십의 자리 숫자가 일의 자리 숫자보다
▨ .

공통점

• 일의 자리 숫자가 ▨ 입니다.
• 십의 자리 숫자와 일의 자리 숫자의
▨ 가(이) ▨ 입니다.

4

A01

🌼 주어진 수들의 **공통점**을 **1가지씩** 써 보시오.

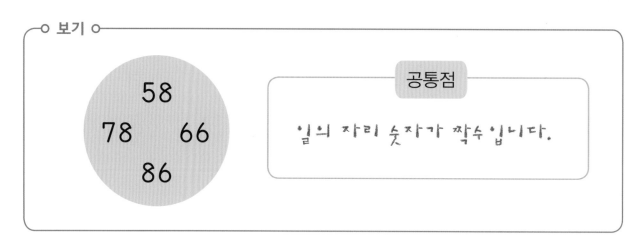

보기

58
78   66
86

공통점

일의 자리 숫자가 짝수입니다.

70
43   61
52

공통점

65
54   98
76   87

공통점

안에 알맞은 수를 써넣고, 수들의 **공통점을 2가지씩** 써 보시오.

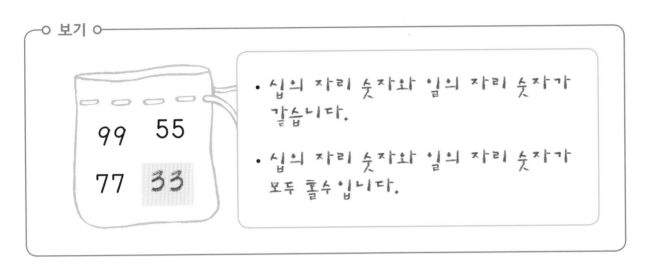

○ 보기 ○

99 55
77 **33**

• 십의 자리 숫자와 일의 자리 숫자가 같습니다.

• 십의 자리 숫자와 일의 자리 숫자가 모두 홀수입니다.

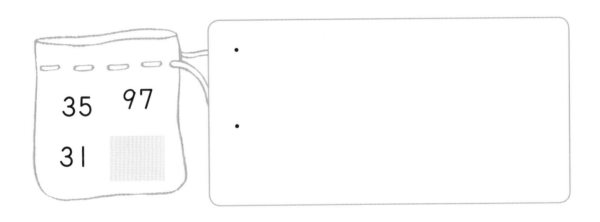

35 97
31

•

•

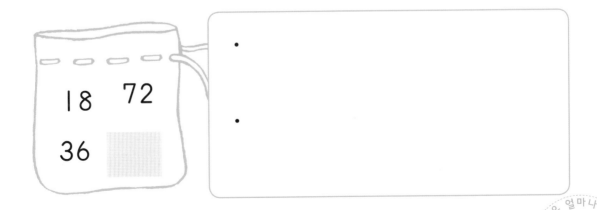

18 72
36

•

•

오늘은 얼마나 잘했을까요?
칭찬 붙임 딱지를
붙여 주세요!

5
일차

성냥개비 옮기기

🌷 주어진 성냥개비로 서로 다른 수를 만들어 보시오.

온라인 활동지

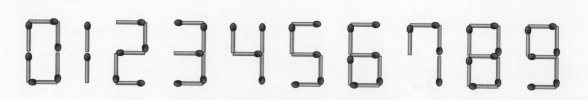

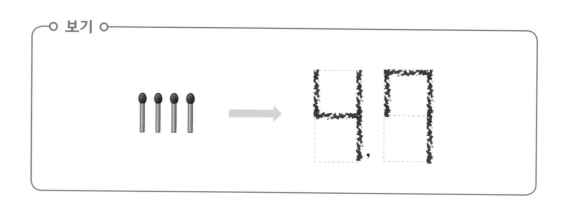

성냥개비 **1개를 옮겨서** 서로 다른 수를 만들어 보시오.

📇 온라인 활동지

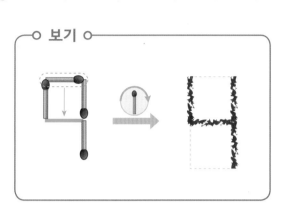

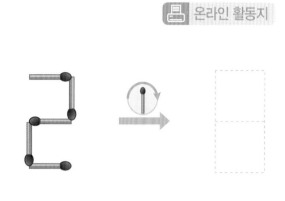

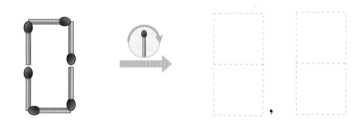

4
A01

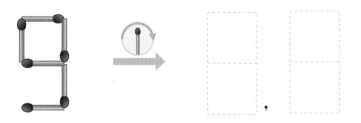

😊 성냥개비 I개를 **옮겨서** 서로 다른 두 자리 수를 4개 만들어 보시오.

온라인 활동지

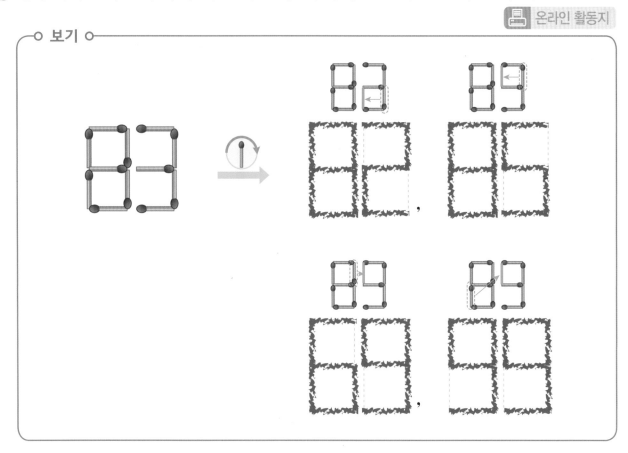

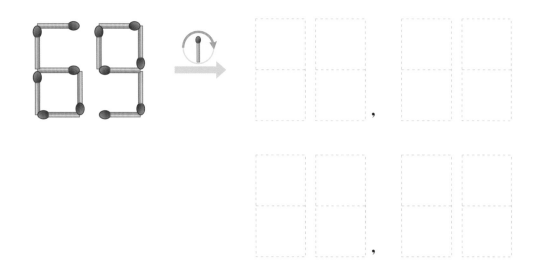

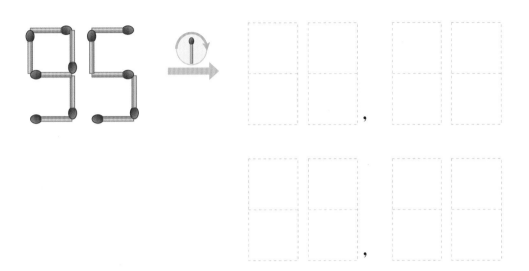

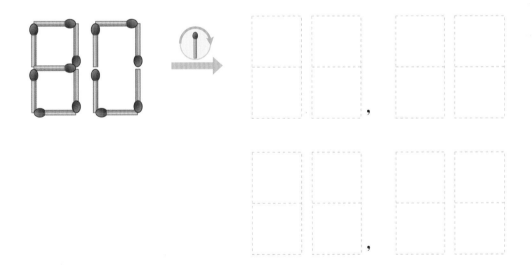

memo

A01
정답

준혁이 방에는 통통한 분홍색 돼지 저금통 3개가 있어요. 그 중 첫째 번 돼지는 웃고 있네요.
돼지 꼬리에 붙은 금액만큼 동전을 넣으면 돼지의 기분이 좋아지나 봐요.
둘째 번, 셋째 번 돼지도 웃게 만들려면 10원짜리 동전을 몇 개씩 더 넣어야 할까요?

학습가이드

10씩 묶어 세기를 하며 몇십을 학습하는 과정입니다.
아이들에게 실생활에 사용되는 동전으로 흥미를 일으켜 이해를 돕고, 수 모형을 이용하여
수의 구조를 느낄 수 있도록 지도해 주세요.

P8~9

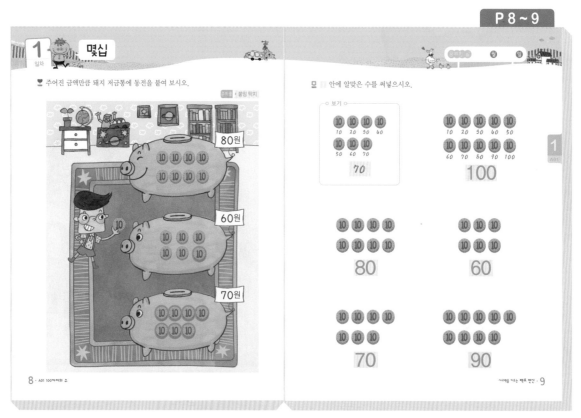

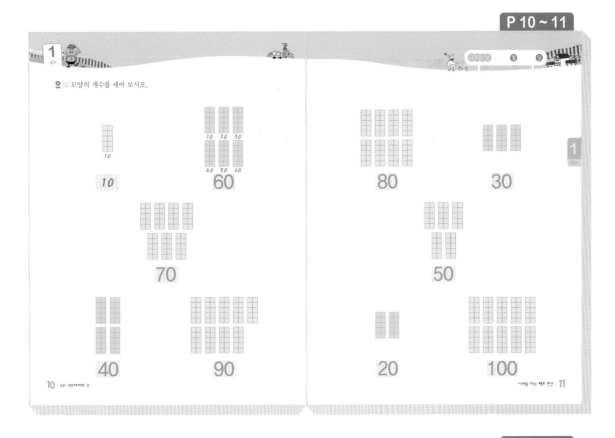

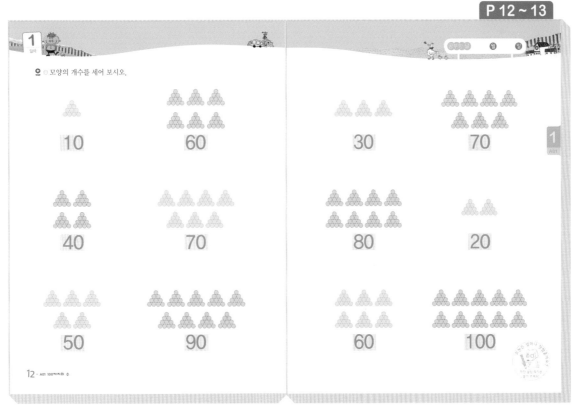

현경이 방에도 돼지 저금통이 3개 있네요. 준혁이네 돼지 저금통은 10원짜리만 먹었는데 현경이네 돼지 저금통은 1원짜리도 먹나 봐요.

1원짜리와 10원짜리 동전을 알맞게 넣어 둘째 번, 셋째 번 돼지도 웃게 만들어 주세요.

학습가이드

1일차에서 배운 10씩 묶음과 낱개를 이용하여 몇십 몇을 학습하는 과정입니다.
10개씩 묶어서 세어 보는 활동은 이후 자릿값 학습에 기초가 되므로 묶음과 낱개의 의미를 수와 연결지어 지도해 주세요.

P 14 ~ 15

2일차 몇십 몇

주어진 금액만큼 돼지 저금통에 동전을 붙여 보시오.

54원

72원

63원

□ 안에 알맞은 수를 써넣으시오.

보기
64

57

78

85

66

92

P 16 ~ 17

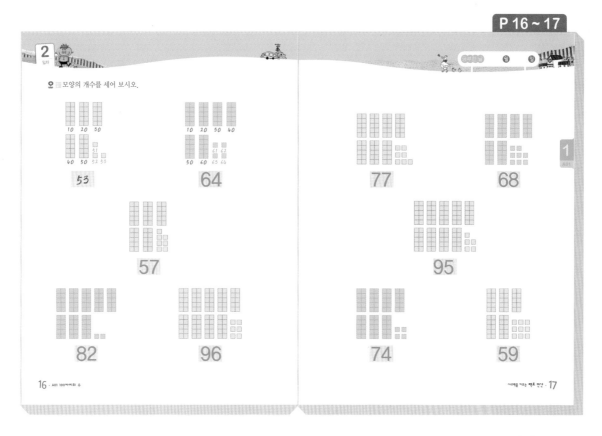

P 18 ~ 19

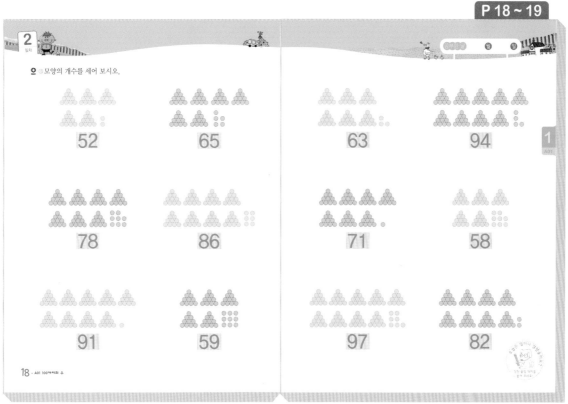

극장에서 연극 '토끼와 거북이'를 하고 있나 봐요. 연극이 얼마나 재미있는지 남은 자리가 하나도 보이질 않네요. 그런데 군데군데 좌석 번호가 떨어진 곳이 있네요.

좌석 번호가 떨어진 의자에 알맞은 번호를 붙여 볼까요?

학습가이드

100까지의 수의 순서를 학습하는 과정입니다.

수 배열표에서 1 큰 수, 1 작은 수, 10 큰 수, 10 작은 수를 찾고, 수의 위치와 관계를 이용하여 수의 순서를 익힐 수 있도록 지도해 주세요.

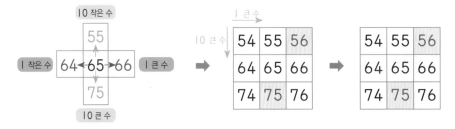

P 20 ~ 21

3 일차   수의 순서

♥ 번호가 없는 자리에 알맞은 수를 붙이시오.

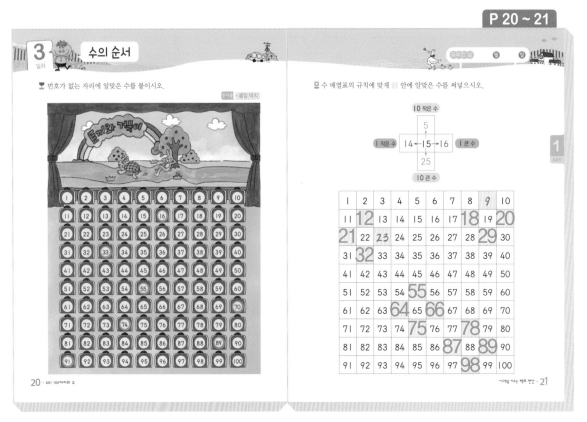

🔲 수 배열표의 규칙에 맞게 ▢ 안에 알맞은 수를 써넣으시오.

	10 작은 수	
	5	
1 작은 수 14←15→16 1 큰 수
	25	
	10 큰 수	

1	2	3	4	5	6	7	8	9	10
11	12	13	14	15	16	17	18	19	20
21	22	23	24	25	26	27	28	29	30
31	32	33	34	35	36	37	38	39	40
41	42	43	44	45	46	47	48	49	50
51	52	53	54	55	56	57	58	59	60
61	62	63	64	65	66	67	68	69	70
71	72	73	74	75	76	77	78	79	80
81	82	83	84	85	86	87	88	89	90
91	92	93	94	95	96	97	98	99	100

20 · A01 100까지의 수

사고력을 키우는 팩토 연산 · 21

3 일차

○ 수 배열표의 일부분입니다. ▨ 안에 알맞은 수를 써넣으시오.

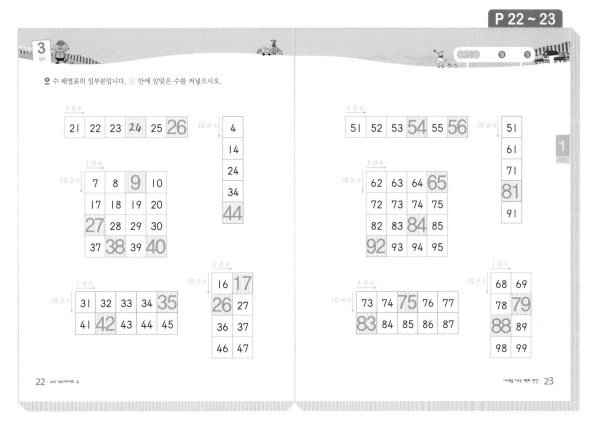

3 일차

○ 수 배열표의 일부분입니다. ▨ 안에 알맞은 수를 써넣으시오.

| 11 | 12 | 13 | 14 | 15 | 16 |
| 21 | 22 | 23 | 24 | 25 | 26 |

| 1 |
| 11 |
| 21 |
| 31 |
| 41 |

	22	23	24
	32	33	34
	42	43	44

5	6
15	16
25	26
35	36
45	46

6	7	8	9	10
16	17	18	19	20
26	27	28	29	30

| 62 | 63 | 64 | 65 | 66 | 67 |
| 72 | 73 | 74 | 75 | 76 | 77 |

| 54 |
| 64 |
| 74 |
| 84 |
| 94 |

51	52	53
61	62	63
71	72	73

55	56
65	66
75	76
85	86
95	96

76	77	78	79	80
86	87	88	89	90
96	97	98	99	100

스토리텔링

지연이와 민수가 저금통을 앞에 두고 누가 더 저금을 많이 했는지 이야기를 하고 있어요.
그런데 처음에 자신만만해 하던 지연이의 표정이 금새 바뀌었네요. 아~ 민수가 지연이보다
저금을 적게 해서 재빠르게 저금통에 동전을 몇 개 더 넣었나 봐요.
이제 누가 더 저금을 많이 한 걸까요? 주어진 수만큼 동전을 붙여서 알아보세요.

 학습가이드

100까지의 수에서 두 수의 크기를 비교하는 과정입니다.
두 자리 수의 크기를 비교할 때에는 먼저 10개씩 묶음의 수를 비교하고, 10개씩 묶음의 수
가 같은 경우에는 낱개의 수를 비교한다는 것을 중점적으로 지도해 주세요.

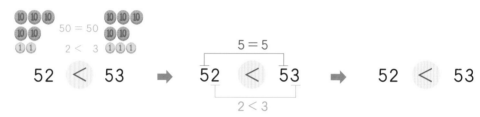

P 26 ~ 27

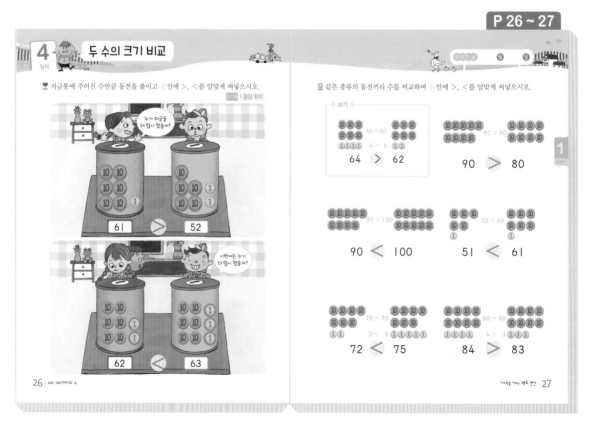

P 28 ~ 29

4 일차

두 수의 크기를 비교하여 안에 >, <를 알맞게 써넣으시오.

$5 < 6$

$50 < 60$

$7 = 7$ → $5 > 4$

$75 74$ → $75 > 74$

$8 > 6$

$80 > 60$

$5 < 6$

$57 < 67$

$5 = 5$

$58 > 57$

$8 > 7$

$6 = 6$

$63 < 65$

$3 < 5$

$50 < 90$

$80 > 79$

$74 < 78$

$92 > 91$

$60 < 70$

$59 < 60$

$67 < 69$

$84 > 83$

$90 > 40$

$64 < 79$

$96 > 92$

$71 < 76$

P 30 ~ 31

4 일차

두 수의 크기를 비교하여 안에 >, <를 알맞게 써넣으시오.

$60 < 70$ $60 > 58$ $77 > 71$ $52 < 53$

$90 > 80$ $79 < 80$ $94 < 98$ $68 > 66$

$50 < 70$ $71 > 60$ $84 > 83$ $90 < 95$

$60 < 90$ $70 > 69$ $71 < 76$ $74 > 73$

$80 > 40$ $89 < 90$ $87 > 84$ $97 > 95$

$70 < 90$ $86 < 95$ $99 > 98$ $60 < 62$

스토리텔링

수지와 동현이가 한손에는 색깔 도장을, 다른 한손에는 종이를 들고 있네요. 무엇을 하고 있던걸까요? 보아하니 종이 위에 도장을 찍고 있었나 봐요. 도장을 마구 찍은 것이 아니라 어떤 규칙을 가지고 찍은 것 같은데… 두 사람이 도장을 찍은 규칙을 찾아볼까요?

학습가이드

100까지의 수 배열표에서 규칙을 찾아 수 뛰어 세기를 학습하는 과정입니다. 처음에는 수를 하나하나 뛰어 세기 연습을 하여 뛰어센 수를 찾다가 차츰 뛰어센 수의 규칙을 이용하여 수를 찾는 것이 더 효율적임을 느낄 수 있도록 지도해 주세요.

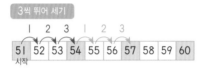

51	52	53	54	55	56	57	58	59	60
61	62	63	64	65	66	67	68	69	70
71	72	73	74	75	76	77	78	79	80
81	82	83	84	85	86	87	88	89	90
91	92	93	94	95	96	97	98	99	100

P 32 ~ 33

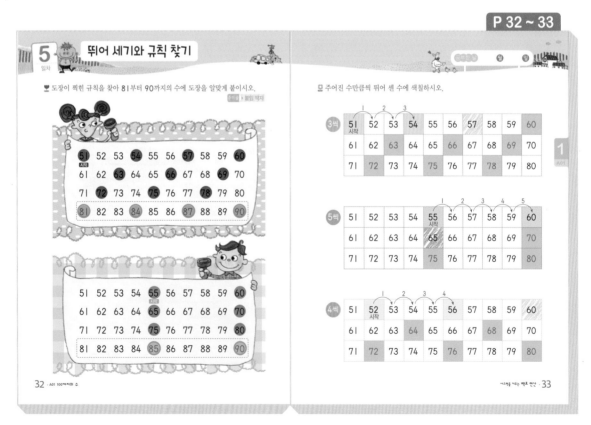

P 34 ~ 35

5 답지

◎ 규칙을 찾아 알맞게 색칠하시오.

5씩 뛰어 세기

51	52	53	54	55 시작	56	57	58	59	60
61	62	63	64	65	66	67	68	69	70
71	72	73	74	75	76	77	78	79	80
81	82	83	84	85	86	87	88	89	90
91	92	93	94	95	96	97	98	99	100

3씩 뛰어 세기

51 시작	52	53	54	55	56	57	58	59	60
61	62	63	64	65	66	67	68	69	70
71	72	73	74	75	76	77	78	79	80
81	82	83	84	85	86	87	88	89	90
91	92	93	94	95	96	97	98	99	100

9씩 뛰어 세기

51	52	53	54	55	56	57	58	59	60 시작
61	62	63	64	65	66	67	68	69	70
71	72	73	74	75	76	77	78	79	80
81	82	83	84	85	86	87	88	89	90
91	92	93	94	95	96	97	98	99	100

4씩 뛰어 세기

51	52 시작	53	54	55	56	57	58	59	60
61	62	63	64	65	66	67	68	69	70
71	72	73	74	75	76	77	78	79	80
81	82	83	84	85	86	87	88	89	90
91	92	93	94	95	96	97	98	99	100

1 A01

P 36 ~ 37

5 답지

◎ 규칙을 찾아 알맞은 수에 ○표 또는 △표 하시오.

3에서 3씩 뛰어 세기 : ○   **5에서 5씩 뛰어 세기 : △**

1	2	③ 시작	4	⑤ 시작	⑥	7	8	⑨	⑩
11	⑫	13	14	⑮	16	17	⑱	19	⑳
㉑	22	23	㉔	㉕	26	㉗	28	29	㉚
31	32	㉝	34	㉟	㊱	37	38	㊴	㊵
41	㊷	43	44	㊺	46	47	㊽	49	㊿
㈤	52	53	㈤	㈤	56	㈤	58	59	㈥
61	62	㈥	64	㈥	㈥	67	68	㈥	㈦
71	㈦	73	74	㈦	76	77	㈦	79	㈧
㈧	82	83	㈧	㈧	86	㈧	88	89	㈨
91	92	㈨	94	㈨	㈨	97	98	㈨	⑩⑩

1에서 11씩 뛰어 세기 : ○   **10에서 9씩 뛰어 세기 : △**

① 시작	2	3	4	5	6	7	8	9	⑩ 시작
11	⑫	13	14	15	16	17	18	⑲	20
21	22	㉓	24	25	26	27	㉘	29	30
31	32	33	㉞	35	36	㊲	38	39	40
41	42	43	44	㊺	㊻	47	48	49	50
51	52	53	54	㊼	㊽	57	58	59	60
61	62	63	㊽	65	66	㊿	68	69	70
71	72	㈦	74	75	76	77	㈦	79	80
81	㈧	83	84	85	86	87	88	㈧	90
㈨	92	93	94	95	96	97	98	99	⑩⑩

1 A01

P 38 ~ 39

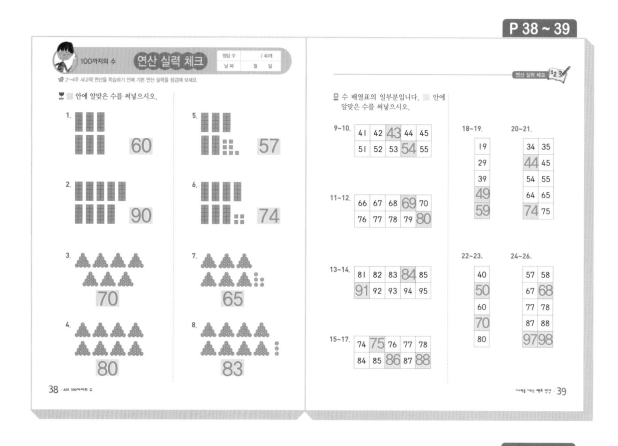

P 40 ~ 41

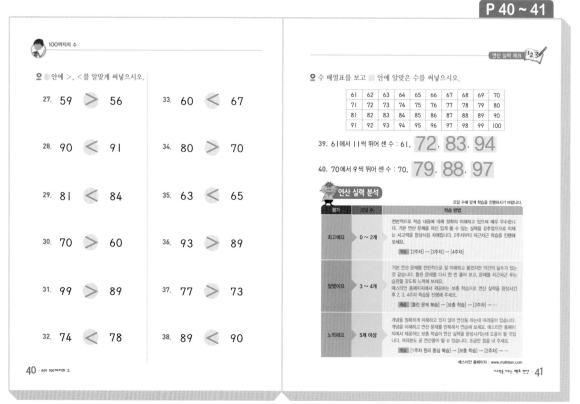

P 44 ~ 45

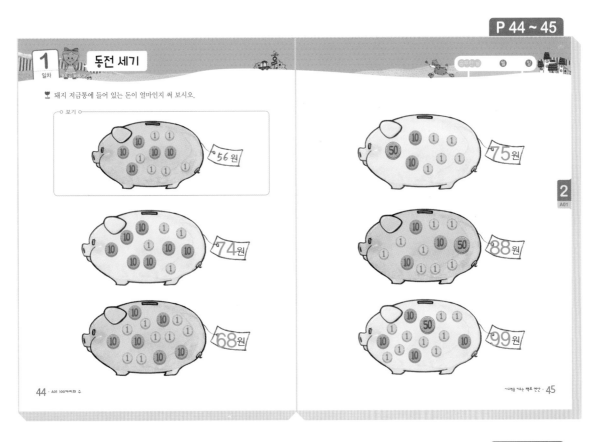

P 46 ~ 47

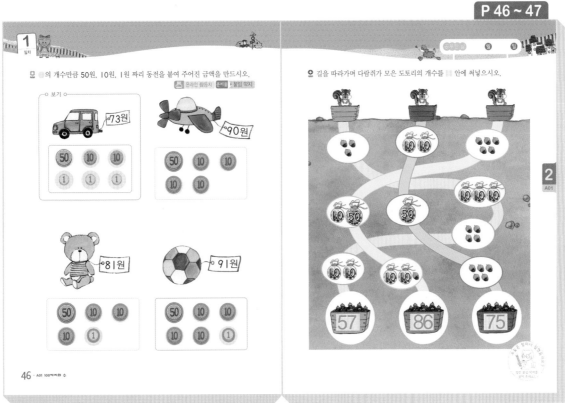

P 48 ~ 49

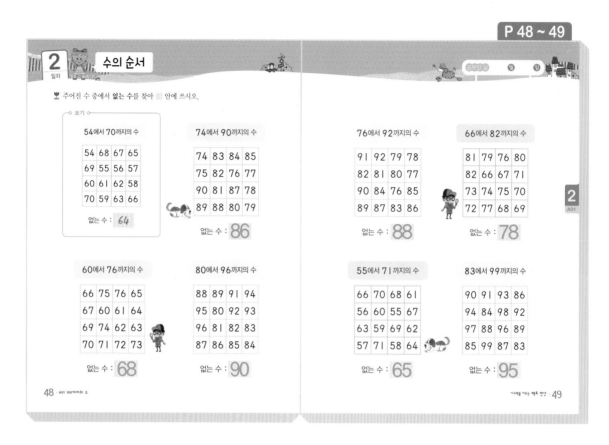

2
일차 **수의 순서**

👇 주어진 수 중에서 없는 수를 찾아 ▢ 안에 쓰시오.

보기

54에서 70까지의 수

54	68	67	65
69	55	56	57
60	61	62	58
70	59	63	66

없는 수 : 64

74에서 90까지의 수

74	83	84	85
75	82	76	77
90	81	87	78
89	88	80	79

없는 수 : 86

76에서 92까지의 수

91	92	79	78
82	81	80	77
90	84	76	85
89	87	83	86

없는 수 : 88

66에서 82까지의 수

81	79	76	80
82	66	67	71
73	74	75	70
72	77	68	69

없는 수 : 78

60에서 76까지의 수

66	75	76	65
67	60	61	64
69	74	62	63
70	71	72	73

없는 수 : 68

80에서 96까지의 수

88	89	91	94
95	80	92	93
96	81	82	83
87	86	85	84

없는 수 : 90

55에서 71까지의 수

66	70	68	61
56	60	55	67
63	59	69	62
57	71	58	64

없는 수 : 65

83에서 99까지의 수

90	91	93	86
94	84	98	92
97	88	96	89
85	99	87	83

없는 수 : 95

48 · A01 100까지의 수

사고력을 키우는 팩토 연산 · 49

P 50 ~ 51

2
일차

👇 규칙을 찾아 빈칸에 알맞은 수를 써넣으시오.

보기

51	52	53	54
58	57	56	55
59	60	61	62
66	65	64	63

61	68	69	76
62	67	70	75
63	66	71	74
64	65	72	73

90	89	88	87
83	84	85	86
82	81	80	79
75	76	77	78

66	65	64	63
67	72	71	62
68	69	70	61
57	58	59	60

82	93	92	91
83	94	97	90
84	95	96	89
85	86	87	88

👇 규칙을 찾아 ◯ 안에 알맞은 수를 써넣으시오.

50 · A01 100까지의 수

P 52 ~ 53

P 56 ~ 57

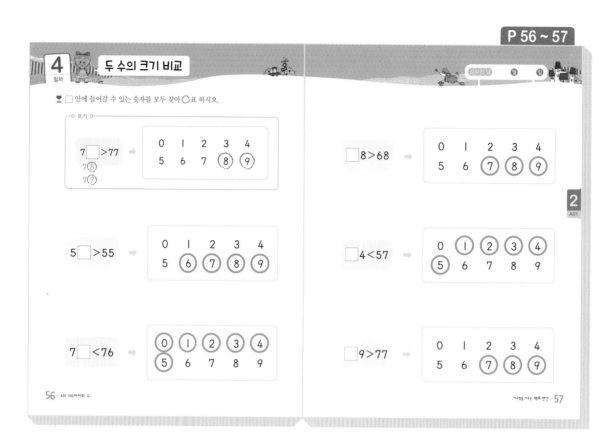

P 58 ~ 59

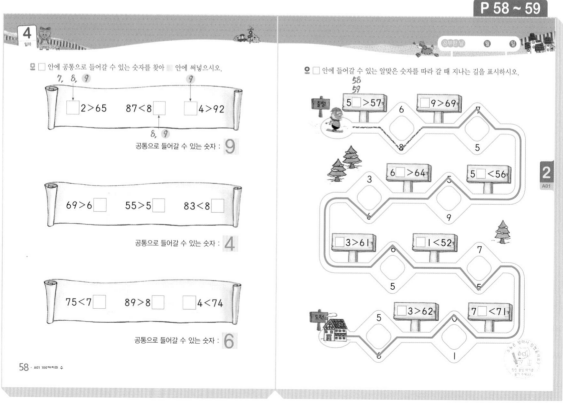

P 60 ~ 61

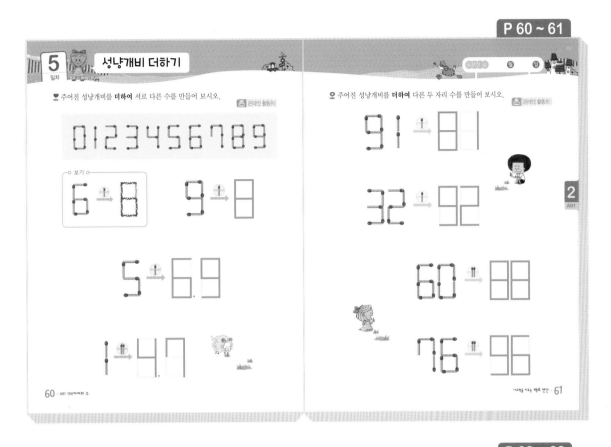

P 62 ~ 63

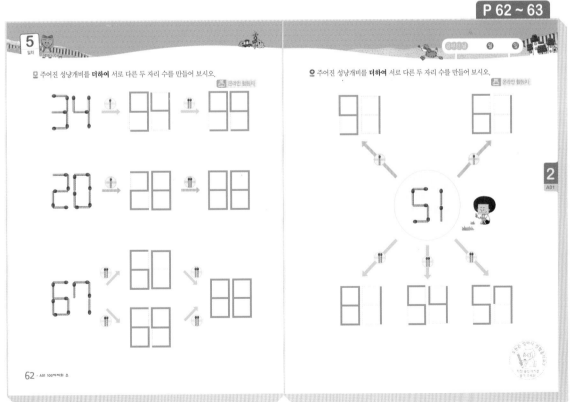

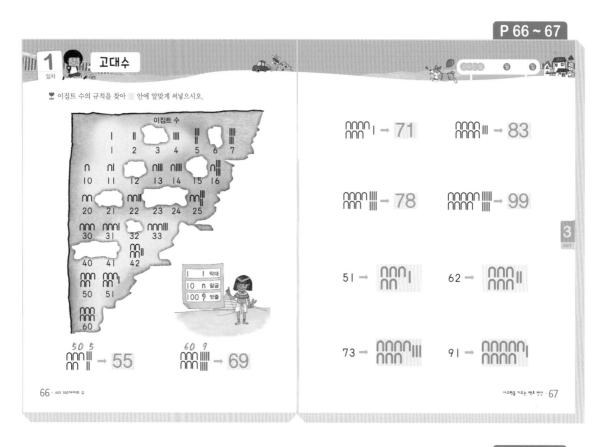

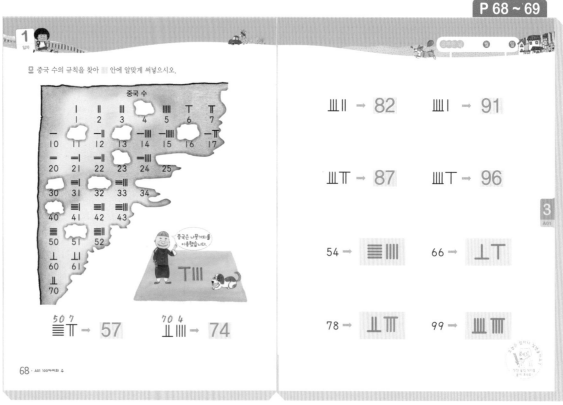

P 70 ~ 71

2 일차 두 자리 수 만들기

숫자 카드를 사용하여 두 자리 수를 만들어 보시오.

온라인 활동지

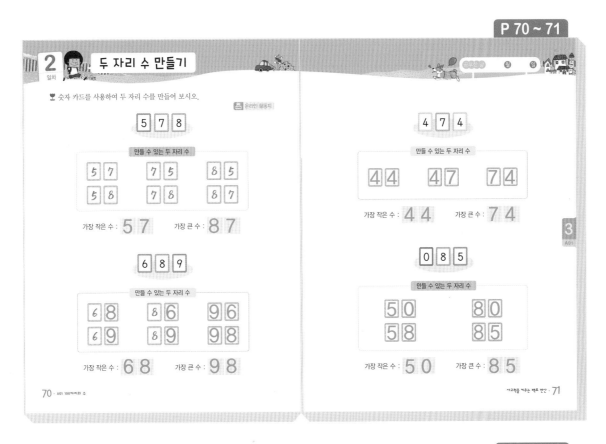

| 5 | 7 | 8 |

만들 수 있는 두 자리 수

| 5 7 | 7 5 | 8 5 |
| 5 8 | 7 8 | 8 7 |

가장 작은 수 : **5 7**   가장 큰 수 : **8 7**

| 6 | 8 | 9 |

만들 수 있는 두 자리 수

| 6 8 | 8 6 | 9 6 |
| 6 9 | 8 9 | 9 8 |

가장 작은 수 : **6 8**   가장 큰 수 : **9 8**

| 4 | 7 | 4 |

만들 수 있는 두 자리 수

| 4 4 | 4 7 | 7 4 |

가장 작은 수 : **4 4**   가장 큰 수 : **7 4**

| 0 | 8 | 5 |

만들 수 있는 두 자리 수

| 5 0 | 8 0 |
| 5 8 | 8 5 |

가장 작은 수 : **5 0**   가장 큰 수 : **8 5**

70 · A01 100까지의 수

사고력을 키우는 팩토 연산 · 71

P 72 ~ 73

2 일차

숫자 카드를 사용하여 조건에 맞는 두 자리 수를 모두 만들어 보시오.

온라인 활동지

보기

| 5 | 7 | 8 | 조건 75보다 큰 수

| 7 8 | 8 5 | 8 7 |

| 1 | 2 | 7 | 조건 70보다 큰 수

| 7 1 | 7 2 |

| 5 | 6 | 9 | 조건 67보다 작은 수

| 5 6 | 5 9 | 6 5 |

| 9 | 4 | 5 | 조건 가장 큰 수

| 9 5 |

| 6 | 8 | 6 | 조건 가장 작은 수

| 6 6 |

| 7 | 1 | 9 | 조건 둘째로 큰 수

| 9 1 |

72 · A01 100까지의 수

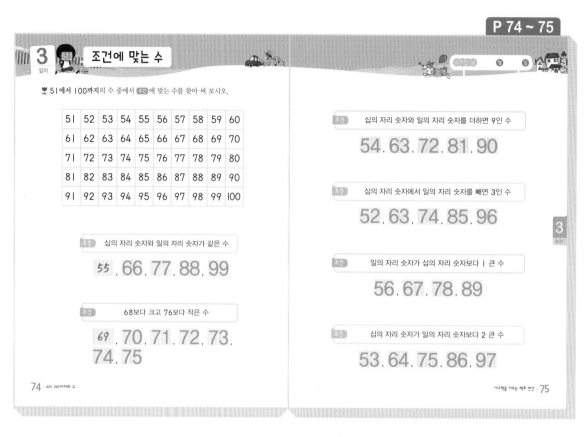

P 74 ~ 75

3
A01

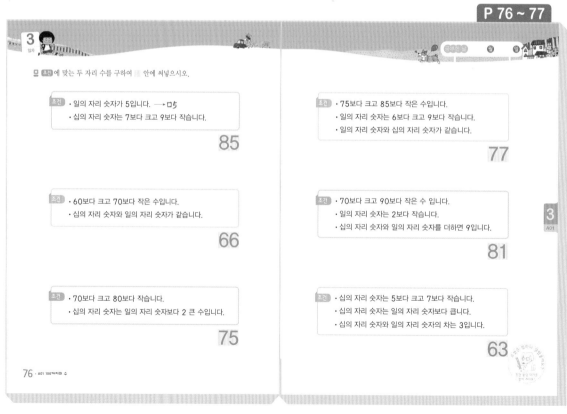

P 76 ~ 77

3
A01

P 78 ~ 79

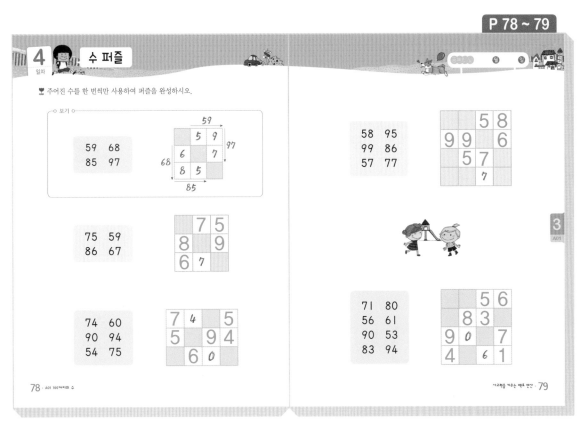

P 80 ~ 81

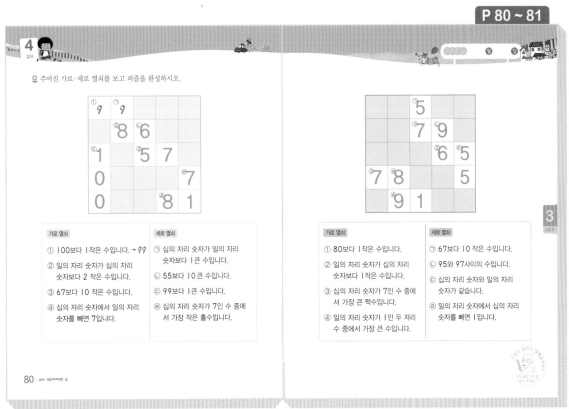

가로 열쇠

① 100보다 1 작은 수입니다. → 99

② 일의 자리 숫자가 십의 자리 숫자보다 2 작은 수입니다.

③ 67보다 10 작은 수입니다.

④ 십의 자리 숫자에서 일의 자리 숫자를 빼면 7입니다.

세로 열쇠

㉠ 십의 자리 숫자가 일의 자리 숫자보다 1 큰 수입니다.

㉡ 55보다 10 큰 수입니다.

㉢ 99보다 1 큰 수입니다.

㉣ 십의 자리 숫자가 7인 수 중에서 가장 작은 홀수입니다.

가로 열쇠

① 80보다 1 작은 수입니다.

② 일의 자리 숫자가 십의 자리 숫자보다 1 작은 수입니다.

③ 십의 자리 숫자가 7인 수 중에서 가장 큰 짝수입니다.

④ 일의 자리 숫자가 1인 두 자리 수 중에서 가장 큰 수입니다.

세로 열쇠

㉠ 67보다 10 작은 수입니다.

㉡ 95와 97사이의 수입니다.

㉢ 십의 자리 숫자와 일의 자리 숫자가 같습니다.

㉣ 일의 자리 숫자에서 십의 자리 숫자를 빼면 1입니다.

P 82 ~ 83

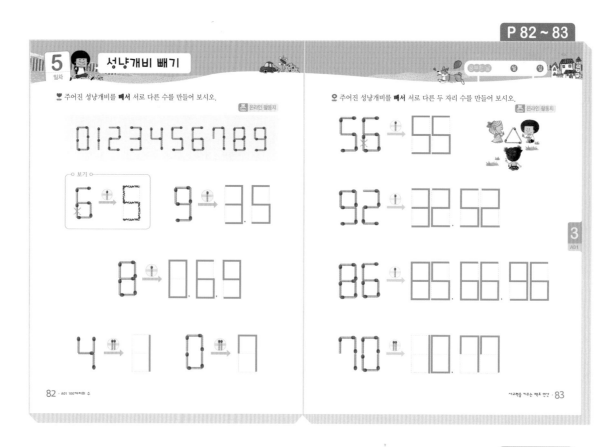

P 84 ~ 85

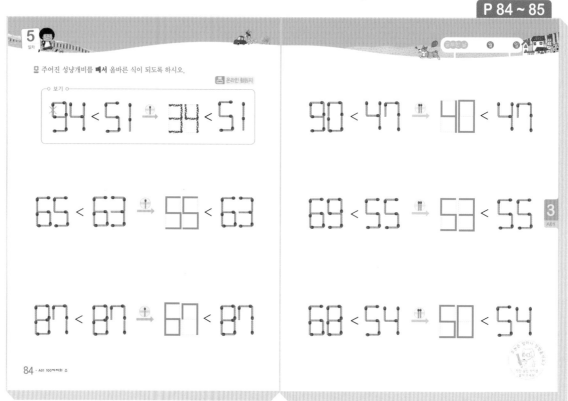

P 88 ~ 89

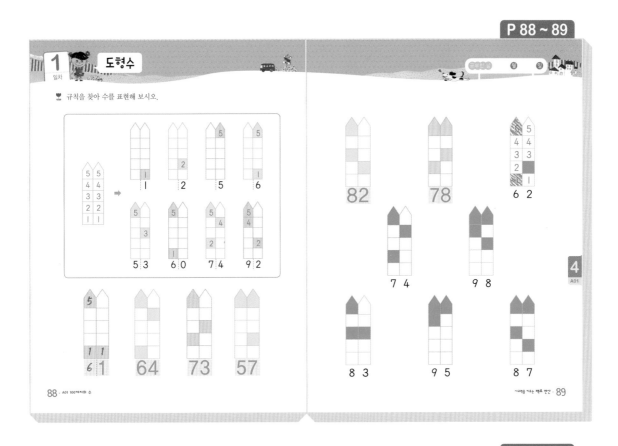

P 90 ~ 91

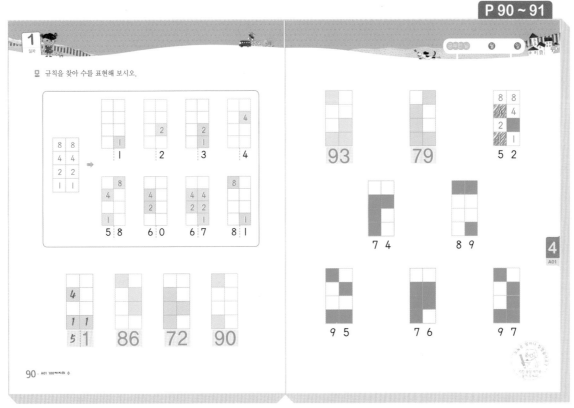

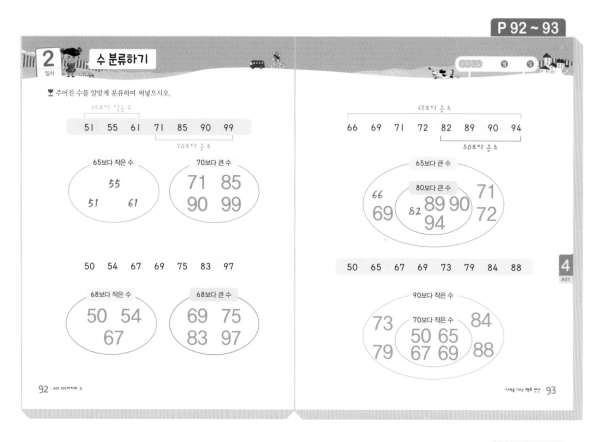

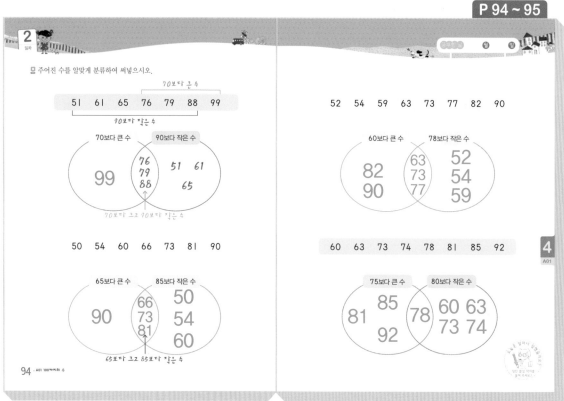

P 96 ~ 97

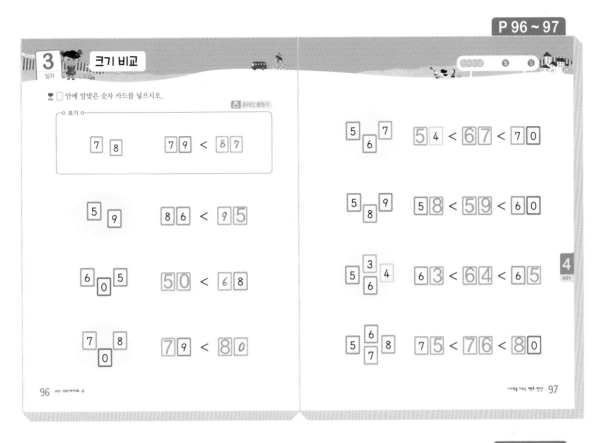

P 98 ~ 99

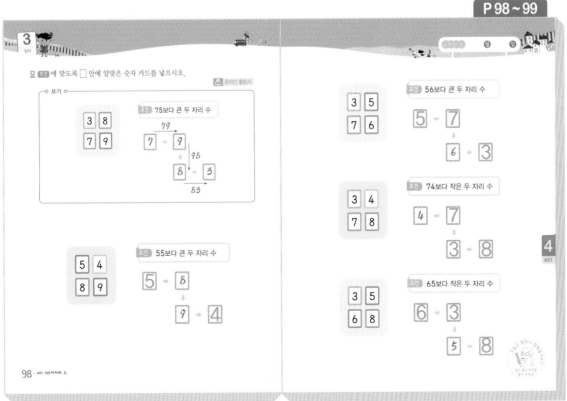

P 100 ~ 101

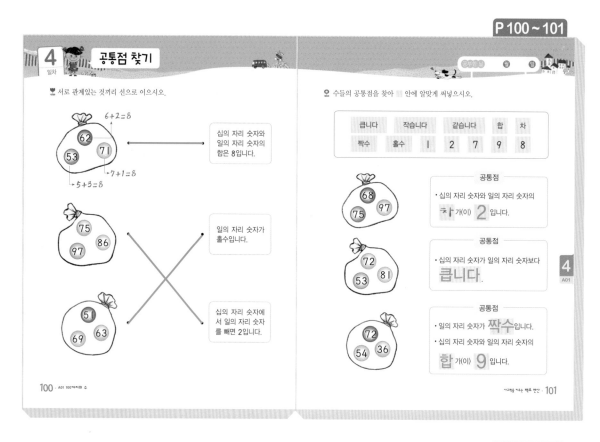

P 102 ~ 103

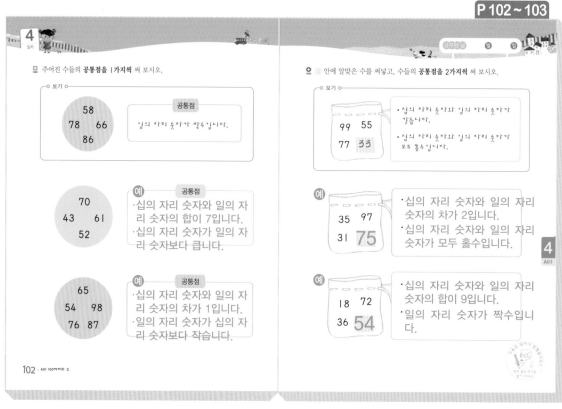

P 104~105

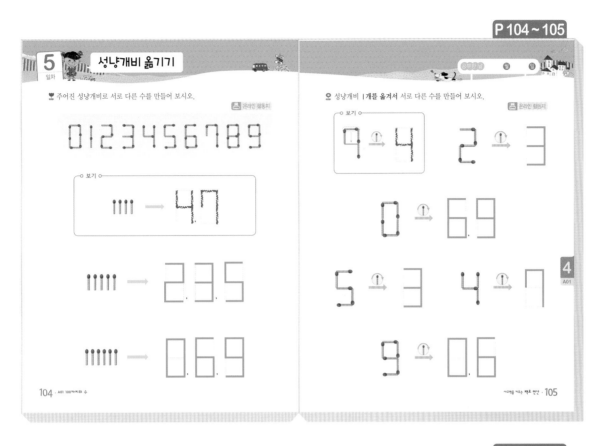

P 106~107

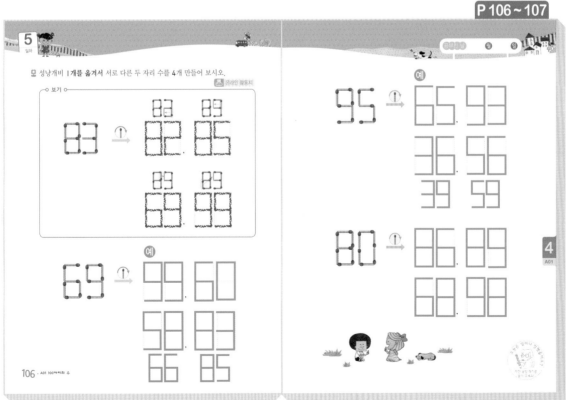

상 장

이 름 : _____

위 어린이는 **팩토 연산 A01권**을
창의적인 생각과 노력으로 성실히
잘 풀었으므로 이 상장을 드립니다.

20   년   월   일

매 스 티 안